Disney

PIRATES des CARAÏBES

JACK SPARROW

La poursuite des pirates

Par Rob Kidd
Illustré par Jean-Paul Orpinas

Basé sur les personnages créés pour le film
Pirates des Caraïbes : La malédiction du Perle Noire
Histoire de Ted Elliott, Terry Rossio, Stuart Beattie et Jay Wolpert
Histoire de Ted Elliott et Terry Rossio
Inspirée par les personnages créés pour les films
Pirates des Caraïbes : Le coffre du mort ET
Pirates des Caraïbes : Jusqu'au bout du monde
Histoire de Ted Elliott et Terry Rossio

Publié par Presses Aventure, une division
de Les Publications Modus Vivendi Inc.
55, rue Jean-Talon Ouest, 2e étage
Montréal (Québec) Canada H2R 2W8

Paru sous le titre original : *The Pirate Chase*

Traduit de l'anglais par : Jean-Robert Saucyer

Dépôt légal - Bibliothèque et Archives nationales du Québec, 2009
Dépôt légal - Bibliothèque et Archives Canada, 2009

ISBN : 978-2-89543-942-4

Nous reconnaissons l'aide financière du gouvernement du Canada par l'entremise du Programme d'aide au développement de l'industrie de l'édition (PADIÉ) pour nos activités d'édition.

Gouvernement du Québec – Programme de crédit d'impôt pour l'édition de livres – Gestion SODEC

Imprimé au Canada.

La poursuite des pirates

Journal de bord du capitaine

Suite à notre victoire sur quelques-unes des créatures marines parmi les plus belles et les plus dangereuses qui soient, aux ordres des sirènes hurleuses, nous avons levé l'ancre dans l'espoir de trouver la légendaire épée de Cortés, qui confère, à qui la possède, un pouvoir inimaginable. Lorsque l'épée est rengainée dans son fourreau, d'inimaginable ce pouvoir devient surhumain. J'ai établi d'experte manière que le fourreau – qui se trouve en ce moment en possession de l'équipage du puissant *Barnacle* – devrait nous conduire à cette épée. J'ai posé ce fourreau avec délicatesse sur le pont de notre navire et il s'est mis à osciller comme l'aiguille d'une boussole pour enfin indiquer une île qui, je crois, est Isla Fortuna. Tout du moins, dans sa direction, à n'en point douter.

Car enfin, comment un fourreau magique pourrait-il nous lancer sur une fausse piste ? Dans peu de temps, l'épée de Cortés sera glissée dans ce fourreau et son pouvoir sera entre les mains du puissant ~~capitaine Ja~~ de l'équipage du *Barnacle*. Le seul obstacle entre l'épée et nous est un dangereux pirate, le célèbre Louis-aux-pieds-gauches. Il devrait toutefois être un adversaire facile à battre, étant donné que nous avons vaincu les créatures marines aux rugissements terrifiants et les pirates qui maîtrisent les vents.

CHAPITRE UN

« Je vous l'avais bien dit ! » déclare Jack Sparrow de la proue du Barnacle alors qu'apparaît peu à peu, dans l'horizon brumeux, la silhouette verte d'une île. « Le fourreau nous a conduits à Isla Fortuna. » Il exécute une révérence. « Nul besoin de m'applaudir, continue-t-il malgré le fait que personne n'ait frappé dans ses mains, attendez que l'épée soit en notre possession. »

Quelques jours plus tôt, le fourreau de la légendaire épée de Cortés est tombé sur le pont du Barnacle et s'est mis à tournoyer à la manière de l'aiguille d'une boussole, indiquant une direction à l'équipage. Jack a cru deviner qu'il s'agissait de Isla Fortuna. Selon la légende, cette épée rend son possesseur tout-puissant, elle lui confère l'invincibilité si elle est avec son fourreau.

« Allez, Jack. Tu perds la tête. Évidemment que le fourreau nous a conduits vers une île », fait valoir Arabella, le capitaine en second, en croisant les bras. Le vent du large agite ses cheveux auburn ébouriffés. « Nous ne savons pas de quelle île il s'agit. Et si c'est bien Isla Fortuna, comment pouvons-nous savoir que l'épée s'y trouve ? »

« Tu coupes les cheveux en quatre, ma chère », dit Jean, un jeune marin que l'équipage a sauvé à Isla Esquelética, la première île où les avait conduits leur aventure. Jean se tient à côté de Jack, à la proue du Barnacle, d'où il observe l'île dans le lointain. L'écume des vagues éclabousse ses pieds.

« Peu importe que l'épée s'y trouve ou pas. Le fourreau nous indique la direction de cette île; il y a sûrement une raison à cela, n'est-ce pas ? »

Tumen, l'ami de Jean, lui aussi un bon marin et un navigateur hors pair sauvé à Isla Esquelética par l'équipage du Barnacle, ajoute : « Jean a raison. Où le fourreau pourrait-il bien nous conduire, si ce n'est à un endroit en lien avec l'épée ? »

« Peut-être nous conduit-il à un endroit dangereux », souligne Fitzwilliam P. Dalton, le troisième du nom, l'aristocrate en fuite. « Si le fourreau est vraiment maudit, peut-être nous conduit-il droit à notre perte. »

Certaines gens sont incapables de reconnaître un fourreau enchanté indiquant la direction de l'île pour ce que c'est, c'est-à-dire un coup de veine inouï. Agaçant, songe Jack.

Jack s'avance et dit d'un ton las : « Vous avez tous tort. Nous allons dans la bonne direction. Nous allons bientôt trouver l'épée et, dans l'éventualité improbable où nous approcherions d'un danger et non de l'épée, je vous conseille à tous de faire appel à votre sens de l'aventure ! »

Arabella dit d'un air méprisant : « Fais-moi confiance, Jack. Quiconque navigue avec toi consent à prendre des risques. » Jack sourit avec fierté. « Merci beaucoup, matelot ! » répond-il.

Jack prend le gouvernail avec fermeté et le Barnacle fonce droit sur l'île et ce qui les attend là-bas. Alors que le vent cingle les voiles et que le navire danse au gré des vagues, Jack songe qu'il a la fière allure d'un capitaine de vaisseau digne d'un tableau de grand maître.

C'est alors que Jack trébuche sur Constance, la jeune fille transformée en chatte, qui s'est couchée autour de ses chevilles et dont la queue entoure sa botte. « Jean, dit à cette satanée chatte... »

« Ma sœur ! » fait Jean d'un ton brusque.

« ... à ce félin de bouger de là », dit Jack.

Jean secoue la tête et a un regard de tendresse à l'endroit de la chatte qui ronronne. Il est le seul membre d'équipage à manifester une telle affection envers cette créature galeuse au mauvais caractère. Cela se comprend, car Jean prétend que cette chatte mal lunée n'est autre que sa sœur victime d'une malédiction.

« Je pourrais l'enlever de là, dit Jean en haussant les épaules, mais à quoi bon ? Elle reviendra vite près de toi. » Jean laisse échapper un soupir. « Je crois bien qu'elle est éprise de toi », dit-il à Jack en chantonnant et en lui lançant des baisers à la ronde.

Jack rugit de rage contre Jean et sa sœur machin-chatte.

En quelques minutes, ils se sont suffisamment approchés de l'île pour en percevoir quelques détails : les hautes montagnes qui s'élèvent au loin et les nombreux palmiers qui en bordent la côte. Arabella saisit la longue-vue de Jack et scrute les abords de l'île.

« Jack, tu avais raison en affirmant que le fourreau indique la direction de l'épée, que cette île soit Isla Fortuna ou non », dit Arabella d'un air sérieux que Jack ne lui connaît pas.

« Merci », répondit Jack d'un ton impassible en lui prenant la lunette des mains pour observer la côte à son tour. « Aurais-tu l'amabilité de me dire qu'est-ce qui t'a enfin convaincue de ma grande sagesse mésestimée ? »

« Rien. Mais, à présent, je crois que ce fourreau est enchanté. Parce que... » Elle lève la main en direction de l'horizon, montrant du doigt les contours mal définis de hautes voilures blanches. « ... voici le Coutelas. »

« Le voilier de Louis-aux-pieds-gauches ? » demande Fitzwilliam en se penchant tellement au-dessus de la rambarde qu'il risque de passer par-dessus bord. Jack résiste à la tentation de donner un coup de pied au derrière aristocratique de Fitzwilliam afin de précipiter les choses. « Comment peux-tu en être sûre ? »

« Tu vois le pavillon noir ? Le crâne et les tibias entrecroisés sont rouges et non pas blancs. C'est son symbole. » Arabella se caresse les bras, l'air triste et mal à l'aise.

Jack règle la longue-vue afin de mieux voir le Coutelas. Le regard perçant d'Arabella ne l'a pas trompé. La tête de mort rouge semble sourire sinistrement alors que le pavillon claque au vent. Quelques silhouettes s'agitent sur le pont – les hommes de Louis –, occupées à leur besogne.

Voilà qui est bon signe, de l'avis de Jack. Louis-aux-pieds-gauches est un pirate notoire. Un méchant homme au cerveau dérangé, à tout le moins. Ils ont suspecté Louis d'être en possession de la puissante épée de Cortés et ils souhaitent tous la lui prendre afin que la puissance qu'elle confère à son détenteur ne soit pas entre les mains de pirates et dans le but de savourer la liberté qu'elle peut apporter.

« Descendez les voilures ! » commande Jack en calant la lunette sous sa large ceinture, de sorte qu'il puisse manœuvrer le navire en direction est. « Il faut que nous soyons plus discrets. »

Jean a un petit sourire narquois. « Jamais je n'aurais songé que tu veuilles te faire plus discret, Jack. »

« C'est bon ! Alors pourquoi n'enverrait-on pas des signaux de fumée pour les prévenir de notre présence et les inviter à une collation ? »

Tumen et Jean hochent vite la tête et traversent le pont d'un pas traînant. Ils ont rencontré Louis à une reprise. Le pirate avait juré de les égorger, tous les deux, et d'écorcher vive Constance, s'ils croisaient de nouveau sa route*. « Non, je n'ai nulle envie de revoir cette brute ou son équipage », dit Jean.

« Aïe ! nous le reverrons un jour! dit Arabella avec douceur, mais lorsque nous serons prêts ! »

« J'aime ta manière de voir les choses », dit Jack en lui adressant un clin d'œil.

Jack manœuvre le Barnacle afin qu'il se dirige vers le port principal de l'île, Puerto San Judas. Les membres de l'équipage sont tendus lorsque le Barnacle engage la manœuvre qui l'éloigne du Coutelas, et même Jack éprouve alors quelque inquiétude. Non pas qu'il soit incapable de battre Louis à plates coutures dans le cadre d'un combat à armes égales, mais parce que le Coutelas est muni de canons. Du gros calibre. Et en grand

* Ainsi que Jean et Tumen le racontent à l'équipage dans le deuxième tome : Le Chant des sirènes.

nombre. Le Barnacle est à peine plus qu'un bateau de pêche. Ce genre de détail confère un net avantage à Louis.

Aussitôt qu'ils contournent l'anse sablonneuse d'Isla Fortuna et que le Barnacle ait été entièrement caché par un rideau de palmiers, tous les membres de l'équipage laissent échapper un profond soupir de soulagement. Jean et Tumen se font de larges sourires, et même la colonne vertébrale de Fitzwilliam, d'ordinaire droite comme un I, semble s'assouplir quelque peu.

Parmi les membres de l'équipage, Arabella reste la seule qui ne soit pas détendue. Elle regarde fixement la cime des palmiers décoiffés par le vent, comme si elle voyait encore la tête de mort rouge du voilier de Louis. Jack se demande si elle a remarqué le fait qu'il a intelligemment fait dévier leur route pour les éloigner du danger.

« Inutile de t'inquiéter, dit Jack. Nous accosterons à Puerto San Judas sous peu. »

« À manger... », dit Jean, le visage animé d'un sourire rêveur. « Ah ! Si nous pouvions trouver un bon plat d'estouffade de crevettes... »

« Nous devons d'abord trouver une auberge », dit Tumen en lui montrant son dos. « Le pont de ce navire est dur ; dans une auberge, nous disposerons de matelas moelleux. »

« Non. Il nous faut d'abord nous rendre au haut-commandement maritime de l'île afin de signaler Louis. » Fitzwilliam acquiesce d'un signe de tête marqué et ajuste sa redingote qui, malgré ses nombreuses mésaventures, semble toujours aussi impeccable. « Ils ne peuvent pas savoir qu'un personnage aussi répugnant traîne dans les parages.

Sinon, ils auraient procédé sur-le-champ à son arrestation. »

Jack reprend la longue-vue de Fitzwilliam afin de bien observer Puerto San Judas qui déjà prend forme à l'horizon. Soudain, il abaisse la lunette et cligne fortement des yeux. Il regarde à nouveau dans la lunette avec un air étonné. Il remet enfin la lunette à Jean et lui demande : « Combien de navires aperçois-tu dans le port ? »

Jean jette un coup d'œil dans la lunette pendant un long moment avant de répondre. « Aucun, pas vrai ? »

Jack croise les bras. « Écoutez-moi, compagnons. Il me semble étrange qu'aucun navire ne mouille aux abords d'une ville portuaire des Caraïbes. »

« Isla Fortuna n'est qu'un point sur la carte. Difficile à trouver, souligne Jean. Tous ne sont pas aussi bons navigateurs que

Tumen et moi, dit-il avec fierté. Les navires sont peut-être tous en mer, à la recherche de l'île. »

« Ce qui nous place au-dessus de la mêlée, n'est-ce pas ? » dit Jack avec un grand sourire. « Ainsi que l'illustre capitaine de ce fier vaisseau. »

« Surtout, n'oublions pas le fourreau qui nous a indiqué cette île », rappelle Arabella à ses camarades.

« Bon, dit vite Jack afin de changer de sujet de conversation, si nous sommes leurs seuls clients, nous pouvons escompter un accueil royal. » À présent que le Coutelas est hors de vue, il ne craint plus de lancer les ordres : « Déployez les voiles et cap sur le port ! »

« Oui, capitaine ! » chante Jean alors que Tumen et lui se mettent au travail.

Alors que le Barnacle arrive au quai, il est évident qu'ils ne recevront aucun accueil royal, ni même princier. En fait, ils n'ont droit à aucun accueil pour être précis. Même lorsque l'équipage s'occupe d'amarrer le voilier à la jetée, personne ne se manifeste, ne leur demande de droit d'entrée, ne note les noms des membres de l'équipage ou ne leur propose des marchandises.

Tous les chemins empoussiérés sont déserts.

« Il règne ici un calme trompeur », dit Jean. Le pelage gris de Constance est hérissé, et elle crache en observant la ville silencieuse.

Arabella murmure : « Il s'est produit une chose terrible ici. Louis... est-ce qu'il a... »

Jack secoue la tête. « Il n'y a aucune trace de combat, ma belle. Aucune fenêtre brisée, aucune trace de balle dans les murs. Aucun incendie. Louis-aux-pieds-gauches laisse des traces quand il passe quelque part, comme peuvent en témoigner Jean et Tumen. »

Les deux amis, visiblement mal à l'aise, acquiescent d'un signe de tête.

« Regardez », dit Fitzwilliam en désignant du doigt une échoppe non loin d'eux. « La boucherie est ouverte. La boutique de l'apothicaire, également. Pas une porte n'est verrouillée par ici. » Soulagés, ils se précipitent tous vers les étals, mais ils n'y trouvent âme qui vive. Pourtant, le laitier propose du lait frais, le boucher, du jambon finement tranché et le poissonnier, des barils de barbues qui s'ébrouent en attendant de trouver preneur.

« Ces présentoirs de marchandises ont dû être dressés ce matin, dit Jean. Pas avant. Et voilà que les marchands qui tiennent boutique ici ont disparu. »

Un long frisson parcourt le dos d'Arabella. « On dirait qu'une force terrible les a tous fait disparaître de façon soudaine, sans avertissement. »

CHAPITRE DEUX

L'équipage erre sans but dans les rues silencieuses de Puerto San Judas, regardant fixement les échoppes et les ruelles désertées. Aucun d'eux ne peut croire ce qu'il voit. Arabella a raison. On aurait dit que chaque habitant de l'endroit a disparu en un instant, laissant tout derrière lui sans rien emporter. Ils se sont tous envolés, mais comment cela s'était-il produit ?

Jack observe les membres de son équipage, qui paraissent visiblement inquiets. Il doit les rassurer tous, et rapidement.

« C'est à la fois joli et calme, ici, n'est-ce pas ? » demande Jack en se rendant aussitôt compte que sa remarque n'est peut-être pas assez rassurante pour effacer toute crainte chez ses compagnons.

« La ville doit être peuplée de fantômes », répond Tumen. Arabella écarquille les yeux. Dans les Caraïbes, où magie et malédiction se côtoient tous les jours, une ville habitée par des fantômes n'est pas chose impossible.

Jean sort le premier de cette stupeur occasionnée par la peur. Alors que l'équipage passe devant une auberge, Jean se redresse et inspire une bouffée d'air. Puis il relâche lentement son souffle et se dirige en trébuchant vers l'entrée de l'établissement.

« Est-ce qu'il a toute sa tête ? » demande Fitzwilliam en ouvrant la bouche toute grande. « Il agit comme s'il était envoûté. »

« Aucun de nous n'est possédé ! » lance Jack d'un ton dédaigneux, dans l'intention de détourner la conversation des fantômes et des démons.

Toutefois, lorsque ses compagnons accourent derrière Jean, ils se rendent vite compte qu'il est possédé, en quelque sorte. Mais il n'est pas sous le charme d'un être maléfique... il est penché au-dessus d'une marmite de soupe qui dégage un parfum d'aromates. « Des gombos ! », murmure-t-il avec la révérence d'un prêtre au cours d'un office religieux. « Un ragoût de fruits de mer et de gombos, cuisiné comme je les aime ! Ah ! c'est merveilleux ! »

« J'aurais dû savoir que tu perdrais l'esprit pour un bol de soupe », marmonne Jack.

Puis il respire, par bouffées, l'odeur épicée des fruits de mer. C'est à ce moment qu'il se rend compte qu'il a l'estomac dans les talons. « J'imagine qu'il n'y en aura pas assez pour nous tous... »

« En temps ordinaire, cette quantité suffirait à nourrir une troupe deux fois plus nombreuse que la nôtre », déclare Tumen en regardant à l'intérieur de la marmite. « Aujourd'hui, cela devra suffire à rassasier cinq ventres affamés. »

Arabella prend des gamelles sur une étagère et se met à servir des rations aussi vite qu'elle servait des grogs à *La Mariée fidèle.*

« Il en reste même pour Constance, si elle en a envie », dit Arabella.

Constance n'a jamais apprécié Arabella, et sa proposition n'y changera rien. La chatte crache simplement devant Arabella et bondit sur le bar à proximité de Jack, occupé pour sa part à engloutir son déjeuner. Jean caresse le dos de Constance et dit d'un air contrit : « Ne t'en fais pas pour elle. Ma sœur n'a jamais aimé les gombos. Elle était amatrice de steak tartare. »

« À présent, elle adore croquer les souris vivantes », marmotte Jack avant d'avaler bruyamment une cuillerée de sauce. « Quel palais délicat ! »

La queue de Constance remue. Jean lui donne vite un peu de crabe qu'il met dans sa gamelle, ce qui semble la satisfaire pour le moment. En fait, pendant les quelques minutes qu'ils prennent à avaler leur repas, ils sont tous si heureux ou, tout au moins, soulagés d'avoir à manger un bon ragoût chaud qu'ils en oublient leurs ennuis.

Jack observe sa gamelle vide d'un air triste. « Arabella, peux-tu remplir mon écuelle ? »

« T'es-tu rompu les os ? » demande Arabella sans cesser de manger. « Remplis-la toi-même ! »

Jack décide que, bien qu'il soit affamé, il ne l'est pas suffisamment pour se servir lui-même. Déjà, son esprit se tourne vers les difficultés qui les attendent. « Quelque chose cloche dans cette ville. »

« Tu crois ? » dit Arabella avec sarcasme.

« Il énonce une évidence », dit Fitzwilliam en hochant la tête. « Néanmoins, une chose extraordinairement bizarre s'est produite ici, à Puerto San Judas. »

Arabella joint ses mains sous son menton et se met à réfléchir à haute voix. « Les habitants de la ville se cachent peut-être de Louis. Même avant l'arrivée du Coutelas, une vigie a pu apercevoir le pavillon à la tête de mort rouge. S'ils l'ont vu, ils ont été effrayés, assurément. Et avec raison. »

Jean secoue la tête. « S'ils l'avaient aperçu de si loin, ils auraient eu le temps de préparer leur fuite. Ils auraient éteint les fourneaux, emporté de la viande, du pain et de la bière avec eux. »

« Donc, dit Jack en faisant les cent pas sur le sol crasseux de l'auberge, nous sommes dans une situation particulière. »

Tumen laisse échapper un soupir. « Comme d'habitude. »

« Jamais je n'ai entendu un marin raconter une histoire pareille. Nous devons découvrir ce qui s'est produit ici et nous n'y parviendrons pas sans effectuer de recherches », affirme Arabella d'un ton décidé. « Nous devrions fouiller l'île. Nous disperser. Il doit bien s'y trouver quelqu'un qui pourra peut-être nous donner une explication. Si nous formions des groupes, nous pourrions ratisser plus large... »

« S'il vous plaît ! » Jack est debout, frappe le dessus de la table et chaque coup fait s'entrechoquer les gamelles et les cuillers. « Je suis votre capitaine. Ce qui veut dire que je décide de ce qu'il est bon de faire. »

« Capitaine ? Mon œil ! » raille Fitzwilliam.

Jack a un sourire méprisant et poursuit : « Voici quels sont les ordres : nous devons découvrir ce qui s'est passé dans cette île, et pour cela nous devons faire une enquête. Donc, nous fouillerons l'île. Nous nous partagerons le territoire. Nous trouverons quelqu'un susceptible d'apporter une explication. Nous irons par groupes afin de ratisser plus large. Entendu ? »

Tumen roule des yeux. Jean secoue la tête d'un air las. Arabella croise les bras, mais dit seulement : « Jack, je ne vois pas comment on pourrait refuser un plan aussi minutieusement pensé. »

« Bien dit ! » Jack esquisse un large sourire. « Que diriez-vous de nous mettre à la tâche dès à présent ? »

Ils font leur entrée sur une place déserte, d'un calme inquiétant, où se forment plusieurs groupes. Jean et Tumen choisissent de faire équipe, en amis qu'ils sont.

Fitzwilliam s'avance et dit : « Arabella, je vais t'accompagner. »

« Et pour quelle raison ? » demande Jack, curieux.

« Pourquoi pas ? » réplique Fitzwilliam.

Cette question est d'une choquante impolitesse, de l'avis de Jack, d'autant qu'il n'a pas de réponse opportune à lui apporter. « Arabella doit m'accompagner. C'est plus prudent », dit enfin Jack.

« Je t'assure que je suis capable de protéger une damoiselle », s'indigne Fitzwilliam en bombant le torse à la manière d'un paon.

Arabella s'interpose entre eux. « Désolée de freiner votre élan chevaleresque, mais, en réalité, je peux me défendre seule. » Pour bien se faire comprendre, elle brandit alors un pistolet qu'elle manipule d'un geste habile.

Jack avait oublié qu'elle avait fourré cette arme dans la poche de sa jupe quand ils étaient à Tortuga, mais cela ne le réconforte guère. « Bien. Merveilleux. Dans ce cas, Arabella, tu m'accompagnes afin d'assurer ma protection. Puisque tu es celle qui porte une arme à feu. »

« Ah ! ricane Arabella. Ce n'est pas un vrai pistolet. » Elle fit jouer le mécanisme et l'arme s'ouvrit pour laisser voir des pinces à cheveux, des pièces de monnaie et de menus articles. Il s'agit davantage d'un sac à main que d'une arme. « C'est une boîte à pilules de fantaisie où je range des tas de choses. Je m'en servais à *La Mariée fidèle* pour faire déguerpir les indésirables, explique-t-elle. À présent, poursuit-elle, nous devrions former des équipes de deux. Jack, tu n'as besoin d'aucune protection. Tu es assurément capable de te débrouiller seul, ainsi que nous l'avons vu. Donc, Fitz devrait m'accompagner parce que je peux veiller sur lui », dit-elle en brandissant le pistolet d'une manière qu'elle espère suffisamment convaincante pour faire fuir d'éventuels assaillants. Fitzwilliam semble atterré. Il ouvre la bouche afin de protester, mais Arabella continue de sermonner Jack. « Par ailleurs, dit-elle, tu as déjà de la compagnie. »

« Quoi ? » dit Jack. C'est alors qu'il baisse les yeux pour voir Constance qui se trouve à quelques pouces de ses pieds, cligne des paupières et lui lance des œillades. Jack laisse échapper un long soupir. « Formidable. Je forme un tandem avec cette satanée chatte. »

Jean se range à ses côtés et, pendant un bref moment d'espoir, Jack croit qu'il insistera pour accompagner lui-même sa sœur chérie. Au lieu de cela, Jean lui murmure à l'oreille : « Jack, si Constance vient avec toi, tu devras te montrer très prudent ! »

« Ne t'inquiète pas, compagnon. » Jack jette, sur la chatte, un regard apitoyé. « Ainsi que l'a dit Bella, je ne cours aucun risque. D'accord ? »

« Je ne m'inquiète pas pour toi, Jack... » Jean se penche et caresse les oreilles pointues de Constance. « Lorsque Constance a balafré le visage de Louis, lui infligeant les cicatrices qui strient désormais ses joues, il a juré que, s'il la retrouvait, il l'écorcherait vive ! Tu dois donc être très prudent, Jack. »

« Ouais ! ouais ! Entendu ! », dit Jack d'un ton dédaigneux. « Louis ne doit pas s'approcher de la chatte. Bien reçu. Compagnons, mettons-nous au travail dès maintenant. Nous nous réunirons au port près du Barnacle à midi pile. »

« Cela nous donne peu de temps », souligne Tumen en montrant du doigt le ciel. Il a appris dans son enfance à lire l'heure en fonction de la position du soleil. « Dans une demi-heure, pas plus. »

Jack acquiesce d'un signe de tête. « Puerto San Judas n'est pas une grande ville. D'ailleurs, il n'y a pas plus d'une demi-heure que les habitants ont disparu. C'est ce que nous apprennent les choses laissées derrière eux.

S'ils se déplacent à pied, nous les rejoindrons à temps. Sinon, nous ne pourrons pas les rattraper, même si nous disposons d'un siècle. »

« Midi pile, donc », dit Fitzwilliam en plissant les yeux à cause du soleil. « Mais que ferons-nous si l'une de nos équipes n'est pas revenue à ce moment ? »

Un silence s'installe entre eux.

« Sottises, lance Jack. L'équipage du Barnacle est le plus habile de toutes les Caraïbes. Nous nous retrouverons ici à midi pile, avec ou sans les habitants de cette île. »

CHAPITRE TROIS

Dans les Caraïbes, la fête de chaque saint est un motif de célébration ; on sert des mets délicats, des vins fins et on danse jusque tard dans la nuit. Jack est un ardent défenseur de ces jours de fête. C'est ainsi qu'il sait que Dominique de Silos est le saint patron des chiens fous et des femmes enceintes, que Marie-Madeleine est la sainte patronne des apothicaires et des coiffeurs, et que Jude – en l'honneur de qui la ville avait reçu son nom – est le saint patron des causes désespérées.

Jack se trouve devant la petite église en bois érigée en l'honneur de saint Jude, qui fait en outre office de saint patron de la ville. Une ville où abondent les cas désespérés, se dit Jack, en particulier, depuis que tous ses habitants ont disparu. La petite église se dresse sur une colline où croissent des touffes de graminées clairsemées au pied d'un chemin de terre long et tortueux.

« Les causes perdues et les situations désespérées, ce sont tes spécialités, non ? » dit Jack à l'intention du saint ou, à tout le moins, à l'église que les gens de la ville ont érigée en son nom.

Constance, qui trotte aux côtés de Jack, miaule fortement comme si elle s'adressait à lui.

« Je ne te parle pas, trésor », lui dit-il du tac au tac. La chatte dépitée laisse tomber sa tête galeuse avec tant de tristesse que Jack se sent presque mal de l'avoir ainsi rabrouée. Jack pense toujours que Jean est fou à lier de croire que sa sœur a été transformée en chatte. Mais il lui faut reconnaître que Constance se conduit vraiment comme une jeune fille. Des sautes d'humeur fréquentes, des minauderies et parfois un comportement sauvage. Flanqué de la chatte, ou de la sœur de Jean, peu importe, Jack gravit les marches qui conduisent aux portes de l'église de San Judas et entre à l'intérieur.

Pareillement au reste de la ville, l'église semble avoir été abandonnée depuis peu, très peu de temps, et de façon soudaine. Le long des murs, les flammes des cierges vacillent. Des volutes d'encens montent de l'encensoir posé sur le maître-autel et l'air est lourd de son parfum suave. Les fenêtres de verre plombé laissent filtrer des rayons de soleil qui se teintent de bleu, de vert et d'or. Jack remonte lentement l'allée centrale.

Constance miaule à nouveau, mais d'une voix faible et craintive, et avance sur la pointe des pattes, quelques pas derrière Jack en se tournant de temps en temps pour vérifier qu'ils sont seuls. Jack marche jusqu'au maître-autel où il sent une brise légère lui souffler sur le visage. Il fait encore quelques pas dans l'espoir de découvrir l'origine de ce courant d'air. Une petite porte a été laissée entrebâillée à l'angle le plus éloigné de l'église.

Alors, Jack entend une voix qui tonne: « Creusez plus vite, sales chiens ! »

À moins que Jean ou Tumen n'aient vite grandi, qu'Arabella ne soit devenue un homme ou que Fitzwilliam n'ait appris à jurer

comme un charretier – ce qui est la moins probable des trois possibilités –, cette voix n'appartient à aucune des connaissances de Jack.

Il s'avance doucement jusqu'à l'embrasure de la porte et jette un coup d'œil discret à l'extérieur. À côté de l'église se trouve le petit cimetière de la ville et, dans ce cimetière, deux hommes aux muscles saillants creusent une fosse. Un homme encore plus corpulent les observe à quelques pas d'eux, les mains posées sur les hanches. Jack comprend qu'ils sont en train de creuser dans une fosse tombale. Puis il se rend compte d'une autre chose, bien pire encore. Les vêtements que portent ces hommes – fichu noués sur leur tête, une épée pendue à leur ceinturon et une cartouchière posée en bandoulière sur leurs épaules – ne sont pas de ceux que porteraient les aimables citoyens de Puerto San Judas.

Ce sont des pirates, se dit Jack à faible voix. Il s'agit sans aucun doute de membres de l'équipage du Coutelas qui profitent de ce que l'île est désertée pour se livrer au pillage. De sales et lâches voleurs, tous autant qu'ils sont ! Cela dit, il arrive également à Jack d'être sale de temps en temps, d'emprunter des objets utiles çà et là, et de penser qu'Arabella est trop sensible aux odeurs corporelles pour faire un véritable marin. Mais il n'est ni un lâche ni un flibustier.

Les deux profanateurs mettent leurs pelles de côté et commencent à utiliser des cordes, à tirer avec force pour remonter le cercueil à la surface. Au moment où apparaît le couvercle poussiéreux, le plus corpulent des pirates, celui qui tourne le dos à Jack, éclate d'un rire caverneux. « Dommage que François ne m'ait jamais avoué qu'il était en possession du parchemin... »

L'un des autres, qui halète en raison de l'effort qu'il doit déployer pour soulever le cercueil, lui demande : « Tu ne l'aurais pas zigouillé, par hasard ? »

« Tu es malade ? » crie le pirate corpulent d'une voix tonitruante. « Je l'aurais tué d'un seul coup . Ensuite, je l'aurais fouillé soigneusement avant d'abandonner son corps. J'aurais été en possession du parchemin dès ce moment-là. »

Jack fronce les sourcils, perplexe. Une ville vidée de ses habitants, livrée à elle-même, et les pirates sont à la recherche d'un bout de parchemin ? Alors qu'ils pouvaient s'emparer de tout l'or de Puerto San Judas, de tout l'or d'Isla Fortuna, sans la moindre difficulté ?

Alors, Jack comprend que ce parchemin, quel que soit son contenu, est un document suffisamment important pour avoir été enterré avec le moribond qui gît dans ce cercueil.

Le plus corpulent des pirates continue, à un rythme plus rapide, comme s'il se parlait à lui-même : « Je récupérerai bientôt ce parchemin. J'ai déjà l'épée. Lorsque j'aurai le fourreau, je posséderai la puissance de tous les dieux ! »

Il détient l'épée. À présent, il est également en possession du parchemin qui confère peut-être un pouvoir quelconque. Il ne lui reste plus qu'à retrouver le fourreau. Ce pirate à l'imposante corpulence ne peut être que Louis-aux-pieds-gauches !

Alors que les pirates font jouer le couvercle du cercueil pour l'ouvrir, Jack commence à battre en retraite. Il doit informer ses compagnons qu'il vient de trouver Louis et leur révéler la présence de ce parchemin dont il ignore tout. Jack recule précautionneusement sans faire de bruit jusqu'à ce que son pied se pose lourdement sur la queue de Constance.

La chatte lance un miaulement sonore qui résonne dans la nef de l'église. Jack sursaute et, pris de panique, fait un faux pas. Il tente de trouver un moyen de calmer la chatte, mais en vain ; le cri de Constance a déjà alerté les pirates. L'un d'entre eux se tourne et Jack ouvre la bouche toute grande lorsque son regard croise les yeux mauvais de Louis. Le pirate a les cheveux d'un roux flamboyant, une dent en or parmi ses chicots pourris et trois cicatrices roses sur les joues qui semblaient avoir été laissées par les griffes d'un chat.

« Ça, par exemple ! Nous avons des visiteurs ? » dit Louis en affichant un large sourire. « On dirait cette chatte pelée qui m'a griffé le visage. Et on dirait qu'elle a emmené avec elle un chien galeux. » Son sourire, qui découvre sa dent en or parmi ses dents gâtées, s'élargit plus encore. « Dites-moi, je vous le demande, lequel de vous deux vais-je écorcher le premier ? »

« Charmante invitation, dit Jack, mais je crains de devoir annuler. Nous avons un rendez-vous qui ne peut attendre. Salutations empressées. » Jack court aussi vite qu'il peut vers la porte à l'autre bout de l'église, suivi de Constance. Mais, au moment où il atteint l'entrée principale, la porte s'ouvre dans un grand vacarme devant les deux larbins de Louis-aux-pieds-gauches, dont l'un qui brandit une dague effilée. Jack freine brusquement sur le parquet de l'église, puis fait demi-tour et aperçoit alors Louis qui descend l'allée pour aller à sa rencontre.

La démarche du pirate semble chaotique, comme désarticulée. Jack comprend que quelques-unes des histoires étranges qui circulent ont un fond de vérité et que Louis-aux-pieds-gauches possède vraiment deux pieds gauches. Ils sont tous deux axés vers la droite, ce qui le fait marcher en boitant. Mais son infirmité ne ralentit pas beaucoup son allure. En fait, selon ce que Jack peut constater, elle ne la ralentit pas du tout.

Ce serait le moment tout indiqué pour avoir une idée de génie, songe Jack. Il m'en viendra sûrement une dans une seconde ou deux. Ce n'est qu'une question de temps. Sûrement.

Constance se blottit derrière les pieds de Jack, et entoure ses chevilles de sa queue.

Louis glousse d'un rire vulgaire et dégaine une épée. Au même instant, la moindre idée de génie qui aurait pu jaillir du cerveau de Jack s'évanouit sur-le-champ. À l'instar de toutes les idées qui n'étaient pas particulièrement géniales. Voilà l'épée de Cortés ! songe Jack.

Il est impossible de s'y méprendre. Les inscriptions sur la poignée incrustée de pierreries correspondent en tous points à celles du fourreau. Il ne peut s'agir que de l'épée de Cortés. Seule cette épée peut être glissée dans le fourreau que Jack a trouvé, fourreau que Louis convoite en ce moment avec la même incrédulité que celle de Jack devant l'épée !

« Qu'est-ce que ?... » Le pirate fait passer sa main libre sous son ceinturon et se balance de droite à gauche avec satisfaction. « J'ai cru, après avoir récupéré le parchemin, que j'aurais à remuer ciel et terre pour trouver le fourreau de l'épée de Cortés. Et voilà que le fourreau vient à moi de lui-même. »

« Pas tout à fait, rétorque Jack. Le fourreau ne travaille pas en indépendant, voyez-vous. Il est arrivé ici avec moi parce qu'il m'appartient. »

Louis brandit son épée, prêt au combat. « Et tu me le légueras par testament. On fera bientôt lecture de tes dernières volontés, probablement très prochainement. Non seulement j'aurai en ma possession l'épée, le fourreau, le parchemin, mais aussi les pouvoirs qu'ils me confèrent ! »

Encore cette histoire de parchemin. Jack décide que la première chose qu'il fera après avoir vite vaincu Louis sera de trouver ce fameux parchemin. Et de découvrir en quoi il est lié à l'épée.

Bien entendu, dans l'hypothèse où il s'en sortirait sain et sauf.

CHAPITRE QUATRE

« Ohé ! Il y a quelqu'un ? » Fitzwilliam lance cet appel au moment où Arabella et lui déambulent dans l'un des chemins poussiéreux de Puerto San Judas. Ils ont parcouru la moitié de la ville en vain et, dans l'esprit de Fitzwilliam, le moment semble venu de s'exprimer à haute voix.

« Es-tu cinglé ? » lance Arabella à son compagnon en lui donnant un coup sur la tête. « Cesse de crier ! »

« Comment faire pour appeler ceux qui pourraient se cacher quelque part ? » demande Fitzwilliam.

« Les habitants de cette ville ne sont pas les seuls dont nous pourrions attirer l'attention. Les pirates ou la personne ou la chose responsables de ce qui s'est produit ici pourraient également t'entendre. »

Fitzwilliam redresse l'échine. « Ton raisonnement est juste. Je serai moins bruyant dans mes recherches. »

Arabella secoue la tête. « Tu t'exprimes toujours de manière si élégante et polie. Même lorsque nous errons dans une ville fantôme hantée par Dieu sait quoi. »

« Je le dois à mon éducation. »

« Oui, je sais. Seulement, ce n'est pas de cette manière que les marins s'expriment. Du moins, pas les marins que je connais », dit Arabella.

Fitzwilliam regarde derrière elle pour voir si quelqu'un n'est pas tapi dans le chemin sinueux qui descend de la colline, mais personne ne s'y trouve. « Jamais, je ne pourrais m'exprimer autrement devant une dame », dit-il.

Arabella s'exclame en riant. « Moi ? Une dame ? Ha ! » Elle désigne, d'un geste, sa robe en loques qui n'a jamais prétendu à l'élégance même lorsqu'elle l'avait étrennée, il y avait longtemps de cela. D'une main, elle dégage, de son front, les mèches auburn qui lui tombent sur les yeux. « Sois sérieux. »

« Je suis toujours sérieux. »

Elle réfléchit à ses paroles. « Je ne vais pas te contredire là-dessus. »

Fitzwilliam joint les mains derrière le dos. « Ma mère avait coutume de dire qu'une robe élégante et un accoutrement à la mode ne font pas une dame. On reconnaît une vraie dame à sa conduite, son intelligence, sa dignité et à la prévenance dont elle fait preuve envers autrui. En ce sens, Arabella, je pense que tu es une vraie dame. »

« Bien », répond Arabella en regardant au loin comme si elle cherchait quelque villageois, mais ses joues rosies trahissent son émotion. « Il semble que Lady Dalton ait été une femme très avisée. »

« Certes », répond Fitzwilliam d'un ton triste avant de décider qu'il valait mieux lui confier l'entière vérité. « Bien entendu, elle se devait d'étrenner une nouvelle robe au moins par mois. »

Ils éclatent de rire, trop amusés pour ressentir la peur. Ainsi, c'est sans peur ni crainte que Fitzwilliam regarde autour de lui à chaque croisement afin de vérifier d'un coup d'œil les ruelles désertes.

Mais une ruelle n'est pas déserte.

« Aïe ! », s'écrie l'homme dans la ruelle en levant les bras au ciel tant il a eu peur. Il porte une barbe de boucles blondes qui pointent en tous sens depuis son menton. Plusieurs chaînes d'argent et quelques pièces de monnaie tombent de ses mains. Elles tintent au moment où elles touchent le sol.

« Ne bouge pas, pirate ! » lance Fitzwilliam.

« Je ne suis pas un pirate ! » répond l'homme à la barbe bouclée. Et il ajoute avec un large sourire : « Tu n'es pas un homme, seulement un garçon qui ne peut rien contre moi. »

« Ce ne sont pas les garçons que vous devriez craindre », dit Arabella avec un sourire en sortant son faux pistolet de la poche de sa jupe. « Aussi, je vous conseille de nous dire sans tarder ce qui se passe à Puerto San Judas. »

D'un air penaud, l'homme lève les mains. « Cela n'a rien à voir avec moi, je vous assure. »

Fitzwilliam s'avance. « Pour quelle raison devrions-nous croire ce que dit un pirate ? »

« Je vous l'ai dit, je ne suis pas un pirate ! » répond-il.

« Peu importe, pirate, quelle raison aurions-nous de te croire ? » dit Fitzwilliam en croisant les bras avec fierté. « Tu es le seul homme que nous ayons rencontré dans cette île. Et tu t'adonnes au brigandage. »

C'est Arabella qui répond. « Il dit la vérité. Regarde ses vêtements. Sa veste n'a jamais connu l'eau de mer et ses bottes sont trop minces pour supporter une tempête. Aucun pirate, voire aucun marin digne de ce nom, ne serait vêtu de la sorte. »

« Pourtant, poursuit Fitzwilliam, tu n'as pas répondu à notre question. Qu'est-il arrivé aux gens de cette ville ? »

L'homme à la barbe bouclée se montre hésitant. « Pas besoin de brandir de pistolet : nous sommes amis, n'est-ce pas ? » demande-t-il en affichant un sourire obséquieux, inamical. « Je vais vous confier ce que je sais, mais c'est peu de choses. Et je vous préviens, vous n'en croirez pas un mot. »

« Allez-y ! » lui intime Arabella en baissant son pistolet. « Maintenant, je crois à des choses auxquelles je n'aurais jamais accordé foi il y a un mois. »

« C'est une conséquence de la compagnie de Jack Sparrow », dit Fitzwilliam pour corroborer son affirmation.

Le regard du barbu semble s'éclairer lorsqu'il entend prononcer le nom de Jack, mais il n'en donne pas la raison. Puis il poursuit : « Vous voyez, je suis un commerçant comme tous les autres... »

« Tu es un voleur », l'interrompt Fitzwilliam en désignant le butin qui s'est répandu sur le sol.

Souriant nerveusement, l'homme à la barbe bouclée hausse les épaules. « Je gagne ma vie. Mais, ainsi que je le disais, je vaquais à mes occupations habituelles comme tout un chacun ce matin. J'allais vérifier si le tiroir-caisse de la taverne était bien verrouillé. Ils oublient parfois, vous savez. Ils ne sont pas toujours en état de fermer la nuit. C'est terrible ce que l'alcool peut faire à certains... »

Arabella se racle la gorge. « Si nous revenions au sujet qui nous préoccupe. »

« Oui. J'étais aux abords de la taverne lorsque j'ai entendu monter un cri : “Les pirates !” Les habitants de la ville hurlaient, criaient, fuyaient dans toutes les directions. Je m'apprêtais à faire comme eux. C'est alors qu'apparut leur capitaine – un homme massif, à la chevelure d'un roux flamboyant, à l'allure féroce. »

« Louis », dit Arabella en frissonnant.

« Vous connaissez ce type ? » demande l'homme à la barbe.

« Ne te préoccupe pas de nous, dit Fitzwilliam. Raconte ce que tu as vu. »

« Alors, le capitaine brandit sa longue épée finement ouvragée et cria : "Que toutes les honnêtes gens disparaissent de cette ville !" Et sur ces paroles, tous ont disparu. » Les yeux de l'homme à la barbe étaient tout écarquillés. « Comme s'ils s'étaient volatilisés. Cela m'a effrayé plus que tout ce que j'ai vu au cours de ma vie, je vous dis. Il ne restait personne à part les pirates, et moi, bien entendu. »

Fitzwilliam et Arabella se regardent fixement, frappés de stupeur. « C'est épouvantable, dit Arabella. Tous ces gens, disparus ou morts peut-être, pour la seule raison qu'ils étaient honnêtes. »

« Oui, ajoute Fitzwilliam d'un ton plein d'amertume, alors qu'un brigand tel que toi a été épargné ! »

« C'est bien pour dire, commence l'homme à la barbe en haussant les épaules, que l'honnêteté n'est pas toujours la meilleure voie. » À cet instant, à la vitesse de l'éclair, le voleur s'empare de la montre en or qui pendait à la poitrine de Fitzwilliam et prend la fuite.

« Arrête immédiatement ! » ordonne Fitzwilliam. Mais le brigand a déjà une bonne longueur d'avance. Fitzwilliam et Arabella courent après lui, mais le vilain est plus rapide qu'eux. De toute évidence, il est un familier des rues de Puerto San Judas ainsi qu'il le démontre en virant dans une zone de dense végétation. Fitzwilliam et Arabella le poursuivent pendant quelques minutes puis le perdent de vue espérant l'entr'apercevoir ou entendre ses pas, mais en vain.

« Ma sœur m'a offert cette montre », dit Fitzwilliam en s'effondrant sur un mur, visiblement bouleversé. « Elle avait une signification particulière à mes yeux. »

Arabella partage son chagrin. Elle sait que Fitzwilliam a perdu sa sœur dans les mêmes conditions qu'elle a perdu sa mère, c'est-à-dire entre les mains des pirates.

« J'ai rencontré ce genre de bandit plus souvent que toi, dit Arabella, alors j'aurais dû prévoir qu'il te volerait ta montre en or. » Elle baisse la tête.

« Ne t'en fais pas, dit soudain Fitzwilliam, ce n'est qu'un objet et les objets peuvent être remplacés, récupérés et échangés. Au moins, aucun de nous n'est blessé. »

Arabella hoche la tête. « Bon, d'accord », dit-elle en observant le chemin. « C'est le moulin communal, n'est-ce pas ? Un point de repère utile, ne l'oublions pas. »

Fitzwilliam lève la main. « Attends ! Arabella, je crois avoir entendu quelque chose. C'est peut-être le voleur, nous pourrons enfin le capturer ! »

Pleine d'espoir, Arabella prête une oreille attentive. Elle a aussi entendu quelque chose, mais elle en a le souffle coupé. « Ce sont les pas d'un homme, Fitz. En fait, je crois qu'ils sont plusieurs. Et ils viennent tous dans notre direction. »

Ils échangent un regard, puis observent autour d'eux pour voir qui approche. Cachés à l'angle d'une rue, ils voient bien des silhouettes mal équarries qui accourent vers eux à travers les broussailles en brandissant des épées.

« Des pirates ! » dit Fitzwilliam.

Arabella s'accroupit sur le sol et l'attire auprès d'elle. Ils sont tous deux blottis l'un contre l'autre et entendent avec effroi les pas des pirates approcher. Arabella lui murmure à l'oreille : « S'ils nous trouvent, nous sommes morts ! »

Elle tremble. On a enseigné à Fitzwilliam qu'un gentilhomme doit toujours réconforter une dame en détresse. « Ce n'est pas certain. »

Arabella n'est pas réconfortée. Alors qu'elle fixe un point, elle répond avec douceur : « Si, je le peux. »

CHAPITRE CINQ

Jack est parvenu à sauter depuis une fenêtre de l'église restée ouverte, et Constance l'a imité. Ils se sont enfuis dans les broussailles derrière l'église, mais Louis et ses brutes les suivent de près. Jack se sait doué pour le combat à l'épée, mais il doit faire preuve de réalisme quant aux limites qu'exige la situation. Et, à cet instant, la situation l'exige. C'est flagrant.

« Ah ! ha ! » crie Louis en cinglant l'air de l'épée de Cortés derrière la tête de Jack alors qu'il court. Jack esquive les coups – il excelle dans l'art de l'esquive –, mais la lame est suffisamment proche de sa tête pour lui couper une boucle de cheveux. La situation s'est aggravée.

Louis est rapide et son épée est dotée de pouvoirs magiques – peut-être pas surnaturels, pas tant qu'elle ne retrouve pas son fourreau, mais magiques tout de même. Deux autres pirates le suivent de peu, prêts à intervenir si Jack prend l'avantage. Mais il ne semble pas que Jack ait le moindre avantage.

Si la situation se dégrade gravement, et il semble bien que ce soit en train de se produire, Jack peut larguer les amarres du Barnacle. Assurément, les autres s'y seraient retrouvés à l'heure qu'il est. La poursuite semble durer depuis un bon bout de temps. Le Coutelas s'engage peut-être à leur poursuite, mais les membres de son équipage se trouvent probablement en d'autres points d'Isla Fortuna. Il faudra du temps avant que tous les hommes de Louis-aux-pieds-gauches ne remontent à bord, du temps que le Barnacle mettra à profit pour mettre les voiles.

Le pelage hérissé, Constance court, au même rythme que Jack. Elle a un cri rauque et perçant lorsqu'elle entend la clameur des pirates derrière eux. Jack décide de jeter un coup d'œil dans leur direction. Les hommes de Louis approchent dangereusement – seulement quelques verges les séparent de Jack et de Constance – de même que Louis-aux-pieds-gauches. Son allure chaloupé et malhabile est encore plus étrange lorsqu'il court.

Jack court en zigzag et utilise l'esquive autant qu'il le peut, et Constance le suit de près. Il emprunte une ruelle, puis un chemin sinueux ; il traverse des échoppes et des habitations vides dans l'espoir de semer ses poursuivants, mais en vain. C'est alors qu'il a une idée : Louis veut s'emparer de la chatte.

« Tu ferais mieux d'aller de ton côté », dit Jack d'une voix haletante alors qu'il court, s'adressant à Constance. « Séparons-nous, ce sera beaucoup mieux. ça te va ? »

Apparemment, Constance est d'accord avec son idée, car elle prend aussitôt une autre direction. Au grand déplaisir de Jack, les trois pirates le suivent. Aucun d'eux ne court derrière Constance ! Pas même Louis. Jack songe que la soif de vengeance du pirate n'est pas aussi forte que sa soif du pouvoir.

Alors que Jack dérape à l'angle d'une rue, il note mentalement l'endroit où il se trouve – on dirait le moulin communal, devant lui – et il se prépare à poursuivre sa course. Au même moment, il entend prononcer son nom d'une voix étouffée.

Il se retourne brusquement pour apercevoir les visages d'Arabella et de Fitzwilliam dans la partie inférieure de l'une des fenêtres du moulin. Ils s'y sont réfugiés et invitent Jack à les rejoindre.

« Ne m'en veuillez pas si j'accepte », marmonne-t-il.

Fitzwilliam et Arabella se cachent derrière des tonneaux de céréales superposés dans l'angle du moulin opposé à la roue et à la meule. Il y règne une odeur de blé et d'orge qui, dans l'esprit de Jack, fait davantage songer à la bière qu'au pain.

« Dieu merci ! c'est toi ! dit Arabella. Nous avons entendu un bruissement dans les buissons et nous avons pensé au pire. Nous avons cru qu'il s'agissait des pirates. »

« Cela prouve, dit Jack en s'accroupissant à leurs côtés complètement essoufflé, que vous devriez toujours vous fier à votre instinct. »

« Tu veux dire… », commence Fitzwilliam.

« Je les ai sur les talons, à vrai dire. Deux pirates et le capitaine Louis-aux-pieds-gauches en personne. Mais je crois que je les ai semés en cours de route grâce à mon talent de stratège. »

« Han ! Grâce à nous tu as la vie sauve ! » dit Fitzwilliam d'un ton méprisant.

« Crois ce que tu veux, mon brave. Racontez-moi comment vous vous êtes retrouvés ici. Ne devriez-vous pas être de retour au port à l'heure qu'il est ? »

« Tout d'abord, commence Fitzwilliam, on a volé ma montre en or. »

« Volé ? » Jack les regarde fixement l'un et l'autre. « Comment a-t-on pu vous voler quelque chose dans une ville déserte ? »

« Il y a un type », dit soudain Fitzwilliam en levant un doigt ganté. « En fait, il s'avère que cette ville compte un habitant. »

« Un voleur », ajoute Arabella. Puis elle lui explique pourquoi Puerto San Judas est désertée.

« J'imagine qu'il nous faut voir le bon côté des choses, dit enfin Jack. Nous ne sommes pas tombés aux mains de Louis-aux-pieds-gauches. Il est indéniable que l'épée et le fourreau, même s'ils ne sont pas réunis, confèrent des pouvoirs que nous ignorons. Il ne nous reste plus qu'à nous terrer ici et à trouver le moyen de récupérer le parchemin... »

« Qu'est-ce que c'est que cette histoire de parchemin ? demande Fitzwilliam. En quoi sommes-nous concernés par un bout de papier ? »

Jack hausse les épaules. « Je ne le sais pas trop bien moi-même, compagnon. Mais nous devrions rompre les amarres lorsque nous parviendrons à la rivière, d'accord ? »

Fitzwilliam fronce les sourcils. « Je ne crois pas que tu aies bien employé cette métaphore. »

« Ce n'est vraiment le moment de nous donner des cours de français. Allons-nous ensuite apprendre le tableau des conjugaisons ? » demande Jack d'un ton sarcastique.

Au même moment, la porte du moulin s'ouvre toute grande pour laisser entrer Louis. Il a fini par les retrouver ! Jack, Arabella et Fitzwilliam se terrent un peu plus, leurs mentons frôlant presque le sol. Ils entendent le pas lourd de plusieurs paires de bottes résonner sur le sol : Louis n'est pas seul !

« Ce doit être mon jour de chance ! résonne la voix de Louis. Le parchemin se trouve sur la colline, l'épée est dans ma main et le fourreau est si proche que je sens son odeur... »

Arabella et Fitzwilliam lancent, à Jack, un regard inquiet. Jack leur répond par une mimique et met son nez entre deux tonneaux pour voir ce qui se passe à l'intérieur du moulin. À en juger par les bruits qu'il entend, on dirait qu'il y a une bagarre.

« ... et pour couronner le tout, dit Louis, nous avons retrouvé les deux matelots qui manquaient à l'appel. »

Les rires des pirates explosent lorsque les deux brutes qui ont vandalisé la tombe poussent brutalement Jean et Tumen devant eux. Jack écarquille les yeux.

« Nous ne sommes pas les matelots que vous cherchez ! » proteste Jean. Son visage est tendu par la peur, mais il crie bravement à l'endroit des pirates : « Vous avez perdu la tête, tous autant que vous êtes ! »

« Laissez-nous partir », dit Tumen d'une voix plus calme. S'il est effrayé – et il doit l'être –, il n'en laisse rien paraître. Les pirates n'écoutent pas Tumen et jettent les garçons au sol avant de les ligoter, les mains derrière le dos.

À côté de Jack, Arabella a le souffle coupé. Fitzwilliam lui prend la main comme si cette attention pouvait changer quelque chose. Jack roule de gros yeux.

Louis fait les cent pas en claudiquant à cause de ses deux pieds gauches. « Je pourrais vous embrocher tous les deux d'un seul coup de lame », dit-il d'une voix sinistre en brandissant l'épée de Cortés. Jack comprend que le pirate peut faire disparaître ses deux compagnons d'aventure en un clin d'œil, ainsi qu'il l'a fait avec les habitants de la ville. « Mais, poursuit Louis, vous avez déjà contrecarré mes projets et j'ai promis que, la prochaine fois – c'est-à-dire aujourd'hui, au cas où vous ne le sauriez pas –, vous mourrez à petit feu. On dira ce qu'on voudra à mon sujet, mais... » Il se penche vers les visages des deux garçons. « ... je tiens parole. »

Jack laisse échapper un soupir. « J'imagine qu'une opération de sauvetage s'impose », murmure-t-il.

« Un sauvetage ? demande Fitzwilliam. Tu ne veux pas dire que tu as l'intention de combattre ces trois pirates dont l'un possède une épée dotée de pouvoirs magiques ? »

Jack adresse un clin d'œil à Fitzwilliam et lui sourit.

« Tu es fou », dit Fitzwilliam.

Louis hausse la voix. « Tout d'abord, je vais tailler vos charmants petits minois à la meule. Qu'est-ce que vous en dites ? »

Jean et Tumen n'auront jamais l'occasion de répondre. Au même moment, Jack bondit de derrière les tonneaux en tenant le fourreau avec fermeté et en brandissant une épée qu'il emprunte à Fitzwilliam, laquelle est mieux trempée que la sienne. Affichant un air aussi terrifiant, redoutable et spectral que possible, Jack Sparrow est fin prêt au combat.

CHAPITRE SIX

Louis assène un coup à Jack avec un féroce rugissement. Jack s'écarte lestement de la trajectoire et reprend le duel à l'épée auquel il a échappé moins d'une heure auparavant. Cette fois, pense-t-il en grinçant des dents alors qu'il s'efforce de parer les coups de Louis, il fera mieux. Au même moment, la lame de l'épée de Cortés fend l'air si près de Jack qu'un courant d'air lui chatouille l'oreille.

« Tu ferais mieux de déguerpir pendant qu'il en est encore temps, bâtard, gronde Louis. Est-ce l'épée que tu cherches ? Un seul mot de moi et elle pourrait te faire disparaître. »

« Tu n'en feras rien », dit Jack d'une voix tendue. « Fais-moi disparaître et le fourreau disparaitra avec moi », ajoute-t-il en agitant le fourreau devant Louis. « Et qu'adviendrait-il ensuite ? Plus de pouvoir surnaturel pour ce cher Louis. Compris ? »

Louis s'immobilise à la pensée qu'il pourrait, par mégarde, faire disparaître Jack et le fourreau dans l'instant suivant. Jack sourit avec fierté.

La consternation de Louis est de courte durée. « Tu as raison : je ne peux pas te faire disparaître. » Il balance de nouveau son épée et, cette fois, fait sauter un bouton de la redingote de Jack qui tombe sur le sol dans un petit tintement. « Mais l'épée de Cortés est toujours une arme. Je peux te découper en petits morceaux, si je le veux. »

«Bien vu», dit Jack. Cette fois, l'épée fend l'air à quelques pouces du torse de Jack.

Dans la masse confuse de couleurs et de formes qui l'entoure, il peut apercevoir Arabella en train de dénouer les liens de Jean et de Tumen. Elle semble sur le point de les libérer. Mais où se trouve Fitzwilliam ?

C'est alors qu'il apparaît entre Jack et Louis. Il s'empare vite du fourreau que tient Jack, le brandit sous le nez du capitaine des pirates, et lui sourit. Alors que le pirate lui décoche un coup, Fitzwilliam reprend son épée des mains de Jack et les lames des deux épées s'entrechoquent avec tant de force que des étincelles jaillissent. « Sans

doute, commence Fitzwilliam d'un ton calme, préférerais-tu te battre en duel avec quelqu'un de ta force ? »

Louis s'exclame d'un rire gras. « J'aimerais bien. Mais je me contente de toi. »

Le combat s'engage. Jack les observe, ils bataillent ferme, trouvant la manière de riposter à chaque attaque, rendant coup pour coup. Il reste bouche bée devant la rapidité avec laquelle se déroule le duel jusqu'à ce qu'Arabella tire sa manche. « Fitzwilliam t'a donné un coup de main, à toi maintenant de m'aider ! »

« Fitzy m'a aidé ? De quelle manière ? Je n'ai pas besoin de son aide ! » dit Jack avec humeur.

« Il t'a sauvé la vie, non ? À présent, aide-moi à trancher ce nœud ! » crie Arabella.

« Oui, Jack », ajoute Jean d'un ton moins enjoué que celui que Jack lui connaît.

« Fitz m'a sauvé la vie ? » Jack n'a jamais entendu pareille idiotie. Malgré cela, il entreprend d'aider Arabella à couper le dernier lien qui retient Jean et Tumen. « Je n'ai pas besoin d'être sauvé ! »

« C'est pour ça que tes habits sont en lambeaux ? » demande Jean.

« On ne peut vraisemblablement pas parler de lambeaux. Une simple déchirure. Peut-être deux. »

Tumen défait les derniers liens qui lui entourent les poignets. « Disons plutôt dix ou douze », dit-il.

« Je n'ai pas besoin d'être sauvé ! » répète Jack avec fermeté.

L'entrechoquement des lames attire son attention sur le combat entre Louis-aux-pieds-gauches et Fitzwilliam P. Dalton, troisième du nom. Malgré son handicap aux pieds, Louis fait un redoutable combattant, agile au maniement de l'épée et puissant dans ses ripostes. Mais, au grand étonnement de Jack, Fitzwilliam lui est supérieur. Il sait parer tous les coups et prévoir toutes les bottes de son adversaire.

Jack constate son irréprochable éducation.

« Jack ! » lance Arabella.

Jack dirige son regard vers la gauche et aperçoit l'un des comparses de Louis, l'air mauvais. Il jette vite un œil vers la droite, et en voit un deuxième. Il est entouré de deux énergumènes. « Approchez, messieurs ! » Les pirates avancent dans sa direction au même moment, et Jack fait un saut et s'agrippe à un chevron du plafond bas. Les deux pirates se heurtent et tombent sur le sol. Jack se laisse choir et leur assène des coups sur la tête à coups de bottes, jusqu'à ce qu'ils perdent connaissance. « Voilà qui était facile », dit-il en souriant.

Derrière Jack, le combat entre Louis et Fitzwilliam fait rage. Louis surprend soudain Fitzwilliam en allongeant un coup et en faisant virevolter l'épée de Cortés devant lui. Fitzwilliam parvient presque à l'éviter, de sorte qu'il pare le coup, mais l'extrémité de la lame lui entaille profondément le bras. Fitzwilliam hurle de douleur. Il lâche le fourreau, et Jack, d'un geste rapide, le récupère..

« Vous avez vu ? » dit Jack avec fierté. « Je vous l'avais dit. Qui a besoin de la protection de l'autre, à présent ? » Il avance parmi les corps des brutes évanouies et saisit un énorme sac de farine. « Regardez-moi et apprenez la leçon. Je m'apprête à sauver la vie de Fitzy. Et vous croyez que quelqu'un le remarque ? Non. Bien sûr que non. » Jack balance le sac de farine avec force sur le visage de Louis. Un nuage blanchâtre se répand autour d'eux au moment où le pirate recule de trois pas avant de s'affaisser, sonné, sur le sol.

Voilà qui est bien. Et même très bien. Dans sa chute, le pirate a laissé tomber l'épée de Cortés.

Jack s'empare de l'épée avant que Louis-aux-pieds-gauches ne retrouve ses esprits. Jack tient sa vieille épée rouillée d'une main et l'épée enchantée, la plus rutilante qu'il ait jamais vue, de l'autre. Il maîtrise de nouveau la situation. Il dirige la lame des deux épées vers le pirate et dit : « Il serait grand temps de te rendre. »

Fitzwilliam, qui reprend son souffle après le combat, noue un mouchoir autour de son bras ensanglanté. Bien qu'il soit exténué, il n'est pas gravement blessé. Tumen s'occupe de ligoter les deux pirates inconscients, de manière à éviter tout ennui lorsqu'ils reprendront connaissance. La chevelure bouclée de Jean, en désordre depuis qu'il s'est battu, part dans tous les sens et lui donne l'air d'un dément tandis qu'il brandit son couteau en direction de Louis comme une mise en garde de plus. Tous les garçons ont un sourire fendu jusqu'aux oreilles.

Mais Arabella ne sourit pas.

« Toi », dit-elle.

« C'est juste. » Jack se redresse. « Moi. Celui qui a sauvé Fitz. Et non pas l'inverse. »

« J'aurais pu avoir le dessus », dit Fitzwilliam.

« C'est peu probable », répond Jack.

Arabella ne fait que répéter le même mot à voix basse. « Toi. » Sa voix trahit son mépris, ce qui donne à penser à Jack qu'elle ne s'adresse pas à lui. En fait, elle dévisage

Louis-aux-pieds-gauches, les poings serrés. « Te souviens-tu de moi ? »

« Tu es un peu jeune à mon goût, jeune fille, raille Louis. Sans compter que tu es un peu maigre et un peu sale. »

« Silence ! commande Fitzwilliam. Vous n'insulterez pas cette dame. »

Jack regarde tour à tour Arabella et le pirate. Il ne comprend pas ce qui se passe, mais les événements ont pris une tournure étrange. Pour quelle raison Arabella ne leur a-t-elle pas révélé plus tôt qu'elle connaissait Louis ?

« Inutile de lui faire la leçon, Fitz, dit Arabella. Il n'apprendra pas. Il n'en aura pas le temps. » Elle prend l'épée de Cortés de la main de Jack, avec tant de dextérité que ce dernier ne se rend même pas compte de ce qui arrive, sinon qu'il voit l'épée dans la main de la jeune fille. Jack et ses compagnons ne l'ont jamais vue en pareil état. Elle était devenue une version sombre d'elle-même.

En deux enjambées, Arabella se trouve au-dessus de Louis-aux-pieds-gauches. À la surprise de Jack, elle appuie la pointe de l'épée sur la gorge du pirate.

« Misérable ! » profère-t-elle entre ses dents. « Tu as assassiné ma mère ! »

CHAPITRE SEPT

Jack ne peut pas détourner le regard du visage d'Arabella. Elle reflète une rage silencieuse, une colère telle que Jack n'en a jamais vue auparavant, une colère plus grande encore que celle du légendaire capitaine Torrents dont la fureur pouvait faire lever un ouragan*. Ses yeux sont embués de larmes brûlantes. « Arabella… », lui dit Fitzwilliam en s'approchant d'elle.

*Ainsi que Jack et son équipage l'ont appris à leurs dépens dans le premier tome : *Tempête à l'horizon*.

Mais Louis lui coupe la parole. « Je sais où je t'ai déjà vue », dit-il à Arabella. « À Tortuga. Je crois me souvenir d'une mégère et de sa misérable gamine. Je lui ai cloué le bec à cette bonne femme, parbleu ! Dommage que je n'aie pas fait la même chose avec toi. »

« Je vais te tuer ! » Le corps d'Arabella tremble de rage, mais elle continue de tenir l'épée avec fermeté. « Je vais t'étriper, espèce de sale ordure ! »

Aucun des membres de l'équipage du Barnacle ne doute de la sincérité d'Arabella. En l'espace de quelques minutes, Louis sera mort à terre et elle sera une meurtrière. Jack n'en doute pas non plus. Jamais, il n'aurait songé qu'Arabella puisse commettre un meurtre, mais il faut dire qu'il ignorait, jusqu'à cet instant, que sa mère avait été assassinée par cette brute épaisse et cruelle,

pour ne rien dire de sa laideur effroyable. Arabella réprime la colère qui l'habite depuis la mort de sa mère. Bientôt, cette colère la transformera en quelqu'un dont Jack est convaincu qu'elle ne souhaite pas être.

Jack fait une tentative pour s'emparer de l'épée de Cortés, mais Arabella lui donne un coup de coude dans les côtes et il recule en chancelant. « L'épée sera à toi plus tard, Jack ! crie-t-elle. Mais pas maintenant. Pas encore. »

« Écoute-moi, jeune fille. Réfléchis un moment », dit Jack d'un ton neutre. « Pourquoi ne pas le ligoter pour le moment, hein ! le temps de la réflexion ? Nous aurons tout le temps de nous débarrasser de lui par la suite, si tu en as encore envie. C'est trop tôt. »

« Elle ne me fera rien du tout », aboie Louis avec aplomb pour un homme qui a la pointe d'une épée sur la gorge et, qui plus est, une épée légendaire et enchantée..., « Elle n'en aura pas le cran, n'est-ce pas, ma jolie ? »

Arabella en a le cran; Jack n'en doute pas. Alors qu'elle se penche en avant et qu'elle appuie plus fortement la pointe de l'épée sur la gorge du pirate, le sourire arrogant de Louis commence à disparaître.

« Arabella, ne fais pas cela », murmure Tumen sans qu'elle lui prête attention. Derrière lui, Fitzwilliam et Jean observent la scène, bouche bée tant ils sont surpris.

« Il y a longtemps que j'attends ce moment », dit-elle. Elle semble sur le point de fondre en larmes. « Tu n'as aucune idée de ce que j'ai éprouvé pendant tout ce temps. Parce que tu ignores ce qu'on ressent quand on perd un être cher. Un pirate est incapable d'aimer qui que ce soit. »

« Bella, restons-en là pour le moment. Prends un peu de recul et reconsidère la situation, tu veux bien ? » Jack s'approche d'elle, de manière amicale, se demandant à quelle distance il réussira à lui enlever l'épée des mains. « Rappelle-toi ce que disait Fitzy à propos de la loi dans cette partie du monde. Il serait dommage de se priver de la pendaison d'un pirate, tu ne crois pas ? »

« Pourquoi essaies-tu de m'en empêcher ? » lance Arabella avec force. « Tu le détestes autant que moi ! Pourquoi veux-tu que je lui laisse la vie sauve ? Reculez tous ! Exécution ! »

L'épée de Cortés se met à luire. On aurait dit que l'air autour d'eux frissonnait avant de devenir tiède, qu'il ondulait à la manière d'une vague sous l'effet du vent. Jack, Fitz, Jean et Tumen, tous reculent en trébuchant comme s'ils avaient été poussés par une force invisible. Jean fait une culbute jusqu'à ce que

son dos heurte le mur du moulin en un son mat. Aucun d'entre eux ne peut intervenir, ils sont à plusieurs pieds d'Arabella et de Louis. Les yeux de Jack s'écarquillent à la vue des prodiges que peut accomplir l'épée. Et ces prodiges sont l'affaire d'Arabella tant qu'elle manie l'épée de Cortés. Quelle puissance une telle épée peut-elle avoir en réserve ?

« Écoute-moi », dit Jack avec douceur. « Bella, pose cette épée. »

« Cesse de m'appeler Bella », dit-elle avant de poursuivre d'une voix plus sobre. « Tu n'emploies ce diminutif que lorsque tu désires obtenir quelque chose de moi. »

« Je t'appelle ainsi parce que je te connais. Je sais que tu es une brave fille. Que tu n'es pas une meurtrière ! Pas de cette manière. »

« C'est ainsi qu'il a tué ma mère. De sang-froid. »

« Et c'est pourquoi tu ne vas pas le tuer. Parce que tu vaux mieux que lui. » Jack tente de faire un pas dans sa direction. La force qui émane de l'épée ne le repousse pas, et Arabella ne proteste pas davantage. Son bras tremble à présent et elle regarde fixement l'épée dont l'extrémité est appuyée contre le cou de Louis.

Louis-aux-pieds-gauches est effrayé à présent et nul ne sait si c'est à cause des prodiges de l'épée, d'Arabella ou des deux à la fois.

« Elle s'appelait Laura, murmure-t-elle. Elle était ravissante et pleine de bonté. Tu t'en souviens, n'est-ce pas ? » La voix d'Arabella vacille de nouveau. « Ce soir-là, à la taverne, tu as voulu passer le bras autour de sa taille et elle t'a repoussé. Alors tu l'as empoignée par les cheveux et tu l'as traitée de tous les noms. Lorsque mon père a tenté

de t'en empêcher, les brutes du Coutelas l'ont maîtrisée. Ils lui ont rompu les os. Et tu m'as laissé assister à la scène alors que tu emmenais ma mère à l'extérieur. Nous ne l'avons plus jamais revue. Je n'ai pas même pu lui dire adieu. »

« Bella », murmure Jack. Il ne cherche pas à détourner son attention; il veut seulement lui rappeler que ses amis sont à ses côtés.

« Après son départ, il m'a fallu faire le travail de ma mère à *La Mariée fidèle*, avec ces marins ivres qui juraient devant moi nuit et jour. Mon père buvait beaucoup avant qu'elle meure, et après, il est devenu une épave. Chaque soir, à la fermeture de la taverne, je devais nettoyer les saletés de tous ces ivrognes et ensuite nettoyer celles de mon père. Il a été un bon père pour moi... à une époque... » Les yeux d'Arabella sont de nouveau embués de larmes.

« Tu l'as pratiquement tuée lorsque tu as tué ma mère. Tout ce temps, j'ai été seule. Et tout ce temps, j'ai su qui m'avait privée de ma famille. Mais à présent, je te regarde et je sais... que te tuer ne ramènera pas ma maman. » Ses épaules s'affaissent et son corps se creuse comme sous le coup d'une défaite.

« Bella, dit Jack, pose l'épée. Nous ne sommes pas comme lui. Nous ne sommes pas des assassins. Nous ne sommes pas des flibustiers. »

Arabella fait deux pas en arrière, en chancelant. Sa main tient l'épée avec une telle force que ses jointures sont blanches. Son visage trahit le dur combat qui se livre dans son cœur. D'un geste lent, si lent que Jack met quelques secondes à comprendre qu'elle bouge, Arabella laisse tomber son bras gauche le long de son corps. Puis, elle pousse un long soupir de déception et de soulagement. C'est terminé.

Louis s'assoit bien droit. « Je vous l'avais dit qu'elle en serait incapable... », dit-il.

Ses paroles méprisantes sont brusquement interrompues par Fitzwilliam qui décoche un coup de poing sur la mâchoire du flibustier.

Les joues d'Arabella ruissellent de larmes, mais elle ne cède pas à l'envie de pleurer. Ses yeux semblent fiévreux et quelque peu sauvages. Si elle était du genre à fondre en larmes et s'il était du genre à consoler une fille qui pleure... Jack songe qu'ils auraient fait un tableau de ce genre. Mais Arabella ne quitte pas Louis du regard pendant que les autres le ligotent solidement avec une corde en lin.

« Il ira en prison », dit Fitzwilliam d'un ton rassurant. « Il ne fait pas de doute qu'il sera pendu, conformément à la loi. Le Coutelas sera réduit en bois d'allumage et expédié à l'Anse aux pirates, et plus personne ne souffrira de la cruauté de Louis. Jamais. Et tout cela, grâce à toi, Arabella. »

« Jusqu'à ce qu'on te pende, dit Arabella à Louis, je te détesterai, chaque jour. Et, seulement après ta pendaison, j'aurai peut-être l'âme en paix. » Elle éclate d'un rire étrange. « Mon vœu, mon unique vœu, est que ma mère te retrouve, quel que soit l'endroit où elle est, dans ce monde, dans l'autre monde ou n'importe où entre les deux. Que justice soit faite ! Et qu'elle te soit rendue de sa main ! »

L'épée de Cortés luit de nouveau, et tous ceux qui assistent à la scène savent ce que cela signifie. L'air ambiant ondoie comme d'habitude. Puis Louis se tord de convulsions, hurle de douleur et disparaît.

Jean prononce quelques mots dans sa langue dont Jack suppose qu'ils ne sont guère flatteurs. Tumen regarde autour de lui, estomaqué. Fitzwilliam vérifie, du pied, l'endroit où Louis s'est trouvé, mais sa chaussure à boucle ne rencontre que le sol.

Jack comprend que tout était terminé. Louis-aux-pieds-gauches a bel et bien disparu.

CHAPITRE HUIT

Pendant quelques longues minutes, l'équipage du Barnacle observe Arabella avec une fascination horrifiée.

« Ce n'est pas possible », murmure la jeune fille en regardant fixement l'épée qui luit encore dans sa main.

« Étonnant, n'est-ce pas, le nombre de choses incroyables qui surviennent ces temps-ci ? » Jack croise les bras et examine l'endroit précis où Louis-aux-pieds-gauches s'est trouvé quelques minutes auparavant.

« On doit ce phénomène à l'épée de Cortés », dit Fitzwilliam pendant que Jack se demande pourquoi Fitz a toujours besoin d'énoncer l'évidence même. « Tu as souhaité que justice soit rendue de la main de ta mère, après quoi il a disparu. »

Tumen jette un regard prudent à l'intérieur du moulin. « Sa mère est décédée. Où est passé le pirate ? »

« Dans l'autre monde », répond Jean comme s'il s'agissait d'une évidence. « Il a emporté les cordes avec lui; aussi, où qu'il soit, il sera toujours ligoté. J'espère qu'il le restera pour l'éternité, Arabella. »

« Je l'ai tué. » Arabella jette l'épée de Cortés sur le sol du moulin, où elle résonne bruyamment sur le bois, et porte les mains à ses lèvres tremblantes. Fitzwilliam fait un pas en direction d'Arabella et esquisse un geste vers son épaule, mais elle s'éloigne de lui. « Je l'ai tué aussi bien que si je l'avais égorgé. »

« Ce n'est pas ce qui s'est produit ! » proteste Jack. C'est alors qu'il songe qu'il n'en sait rien, en vérité. « On ne peut t'en tenir rigueur, tu n'avais pas l'intention de le tuer. C'est une règle universelle. Je l'ai lu dans un code ou un recueil de lois. Je te dis. J'en suis persuadé. »

Tumen semble sceptique. « Je ne suis pas sûr que ce soit vrai. »

Jack fait des gestes frénétiques de la main pour réfuter son objection. « Et puis, Louis est peut-être encore en vie ! »

« En vie ? » dit Arabella. « Oui, si tu estimes qu'il y a une vie après la mort. Mais ce sera une vie assez effacée, si je puis dire. »

Arabella est prise de tremblements violents, comme si elle avait froid, malgré la chaleur humide d'un après-midi dans les Caraïbes.

Jean a un haussement d'épaules. « Il se peut qu'il soit vivant. On a déjà vu chose plus étrange, non ? »

« Je ne crois pas », dit Tumen.

« Mais cela est possible ! » Jean a un large sourire à présent. « Nous connaissons ces choses en pays créoles. Les vivants et les morts ne sont pas aussi éloignés que vous le croyez. N'avez-vous jamais entendu parler de zombies ? »

Arabella devient toute pâle. Fitzwilliam dit : « Je crois qu'il vaudrait mieux que tu t'abstiennes de parler de zombies. »

« Cela ne nous aidera pas, ajoute Jack. Mais je suis sérieux. Il est fort possible que Louis-aux-pieds-gauches soit toujours en vie. »

« Comment peux-tu en être sûr ? » demande Tumen.

« Parce que... songez à ce qu'a dit Arabella en dernier. Juste avant que Louis ne nous serve son numéro de disparition. Elle a dit : "Que justice soit faite !" À quoi cela vous fait-il penser ? »

« La justice. Tu veux dire la loi ? » Arabella semble avoir retrouvé une lueur d'espoir. « L'épée aurait pu l'envoyer en prison quelque part ? »

Jack se sent mieux. En réalité, il n'a aucune idée de l'endroit où Louis peut se trouver et il s'en moque éperdument. Le principal est qu'il ait disparu. Il importe à présent que son capitaine en second retrouve son état normal.

« Exactement. Précisément. La prison, continue Jack. Louis-aux-pieds-gauches a probablement atterri devant le premier magistrat, ainsi que tu le souhaitais. Un vilain coup du sort. »

« Elle a également dit qu'elle voulait que justice soit rendue de la main de sa mère », rappelle Tumen à Jack.

Arabella devient à nouveau pâle et Jack jette un regard mauvais à Tumen.

« Écoute un peu... N'as-tu jamais entendu parler du sens caché ? dit Jack. Fitz ici présent pourrait t'instruire à ce sujet, lui qui prend plaisir à corriger les fautes de grammaire de son entourage. La justice est rendue de la main de sa mère de manière symbolique. »

« C'est exact. Quelque chose de ce genre. » Arabella prend une profonde inspiration et s'efforce visiblement de croire que telle est la vérité. « Accordez-moi seulement un instant. »

Chacun se réfugie dans un silence respectueux en l'honneur d'Arabella, non pas en mémoire de Louis-aux-pieds-gauches. Elle se tourne vers un angle du bâtiment, serrant ses bras contre sa poitrine, et Jack estime plus sage de la laisser seule pendant quelques minutes.

Alors, Jean, qui profite de l'occasion pour s'abîmer dans ses pensées et prendre contenance, s'écrie soudain : « Constance ! Où se trouve-t-elle ? »

Cette satanée bête ! Jack a quasiment oublié ce succédané de vieux manchon mité. « Elle était en ma compagnie à l'église, où nous sommes d'abord tombés nez à nez avec Louis-aux-pieds-gauches. »

Jean tressaille. « Minute ! Il détestait Constance. Dis-moi qu'il ne lui a pas fait de mal ! Qu'est-il arrivé ? Essaies-tu de m'apprendre quelque chose par la bande ? »

« Ta chère sœur-transformée-en-chatte se porte comme un charme, dit Jack. C'est tout ce que je sais, ajoute-t-il. Du moins en était-il ainsi quand je l'ai vue pour la dernière fois. »

Jean lance un regard furieux à Jack. « Quand l'as- tu vue pour la dernière fois ? » crie-t-il pris de panique.

« Calme-toi, petit, répond Jack. Elle s'est enfuie peu après le début de la bagarre. Selon moi, elle se trouve quelque part dans l'île », dit Jack.

« Jack ! » lance Jean, dans tous ses états.

« Ils se trouvaient ensemble à l'église et nous sommes en ce moment au moulin », dit Fitzwilliam en posant une main sur l'épaule de Jean. « Nous disposons donc d'une piste à suivre. » Fitzwilliam s'exprime avec calme, comme s'il avait été assuré de retrouver Constance sans difficulté, mais aussi comme quelqu'un qui se moque bien de la revoir ou non. « Que diriez-vous d'une balade en direction de l'église ? Je crois qu'un peu d'air aurait sur nous un effet tonifiant. »

« D'accord », dit Arabella en faisant bonne contenance. « Allons-y ! »

Au même moment, l'un des pirates allongés sur le sol se redresse sur son postérieur et regarde autour de lui, l'air hébété. « Capitaine ! hurle-t-il. Où se trouve notre capitaine, Louis ? Qu'avez-vous fait de lui, sales chiens ? »

Jack réfléchit à la meilleure réponse qu'il peut faire à cette question avant de saisir l'épée de Cortés et d'en assener un bon coup sur la tête du pirate. Le pirate s'écroule sur le sol, à nouveau inconscient. « Voilà une bonne chose de faite ! » dit Jack d'un ton satisfait.

Mine de rien, en espérant que nul ne s'en rende compte, Jack glisse l'épée dans son fourreau, réunissant ainsi les deux objets pour la première fois depuis longtemps, de sorte qu'ils ne font qu'un à présent. Il s'attend presque à voir l'air ondoyer autour de lui, ou à ce qu'il pleuve des gerbes d'étincelles et de feu, ou à ce qu'un phénomène étonnant se produise. Au lieu de cela, l'épée retrouve son fourreau comme n'importe quelle autre épée. De toute évidence, le parchemin constitue la pièce maîtresse du casse-tête. Il lui faudra le trouver avant de pouvoir faire un coup d'éclat. Mais il ne sait pas vraiment ce que renferme ce parchemin.

L'équipage gravit la colline sous le chaud soleil de l'après-midi. Tous gardent le silence. Ils sont cependant conscients de n'avoir neutralisé que trois des nombreux pirates qui se trouvaient à bord du Coutelas. Louis-aux-pieds-gauches est peut-être en prison, mais ses hommes peuvent leur occasionner des tas d'ennuis. Par bonheur, Jack et ses compagnons ont atteint l'église sans en croiser un seul.

Au moment où ils franchissent la grande entrée, Fitzwilliam rompt le silence. « Que faisaient des pirates dans une église ? Je parie qu'ils n'étaient pas ici pour mettre des pièces dans le tronc des pauvres. »

« Oh ! ils étaient en train de piller une tombe. Ils remuaient de vieux ossements et des tas de poussière », répond Jack avec ravissement.

Tumen fait la moue. « C'est dégoûtant ! »

« Quelle horreur ! », renchérit Arabella en frissonnant.

Jean sourit en s'écriant : « Constance ! »

Il sort de l'église par la porte de derrière en courant. Sur le cercueil que les pirates avaient exhumé, Constance dormait roulée en boule sous un rayon de soleil.

« Ma jolie sœur ! », dit Jean en portant la chatte contre sa poitrine. Constance, les paupières mi-closes, lui jette un regard endormi ; on aurait juré qu'elle voulait qu'on la laisse à sa sieste. « Tu es saine et sauve, Dieu merci ! »

« Jolie ?», dit Jack d'un air interrogateur.

« Elle dormait sur un cercueil ? » Arabella croise les bras et semble très en colère. « En toute honnêteté, Constance, c'est épouvantable de ta part. »

Constance lisse ses moustaches en désordre, insensible à ce commentaire. Arabella hoche la tête pour marquer son exaspération.

« Louis-aux-pieds-gauches était intéressé par ce cercueil, dit Jack. Et plus particulièrement à l'homme allongé à l'intérieur, prénommé François, qu'il repose en paix. Dès aujourd'hui, je veux dire. »

Tous les regards se dirigent vers le cercueil que les hommes de Louis ont ouvert.

« Pouah ! » lance Jean.

« Pourquoi s'intéressait-il au corps de ce François ? » demande Fitzwilliam.

« Pour tout vous dire, il souhaitait retrouver un parchemin que ce François portait sur lui au moment de trépasser », répond Jack.

« Ce parchemin. Celui dont tu nous as parlé tantôt. Qu'a-t-il de particulier ? » Arabella jette un regard suspicieux au cercueil et est prise de frissons à la vue du cadavre en décomposition. La brise de l'après-midi ébouriffe davantage ses cheveux en désordre.

Jack joint les mains derrière le dos, et se balance d'avant en arrière en souriant. « Il semble y avoir un rapport quelconque avec l'épée de Cortés. »

« Une carte qui indiquerait son emplacement ? Mais Louis a déjà trouvé l'épée, dans la salle du trône de Sam Œil-de-pierre*. » Fitzwilliam fait un geste en direction de l'épée et du fourreau qui se trouvent au côté de Jack. « Tu possèdes déjà le fourreau. Par conséquent, le parchemin ne nous sera d'aucune utilité. L'épée qui pend à ta ceinture, Jack, confère déjà un pouvoir surnaturel ! »

« Non, pas vraiment. Pas encore », dit Jack d'un ton neutre. L'équipage du Barnacle semble médusé.

Jack poursuit. « Il semble que ce parchemin nous révélera comment maîtriser la puissance de l'épée de Cortés dans toute son étendue. »

« Oh ! non ! », fait Arabella en secouant la tête comme si elle entrevoyait cette possibilité pour la première fois. « Jack, la puissance

* Reportez-vous au tome I : Tempête à l'horizon.

de l'épée est déjà immense. Elle est déjà dangereuse. »

« C'est vrai. Dans ce cas, en quoi le parchemin pourrait-il aggraver les choses ? » Affichant un sourire plein d'espoir, Jack fait un geste en direction du cercueil.

« Je suis d'accord avec Arabella », dit Tumen en reculant d'un pas pour marquer une distance entre Jack et lui. « L'épée a causé du mal à beaucoup de gens. Elle ne devrait plus en faire. »

« Ne me regardez pas ainsi. » Jean empoigne Constance avec plus de force. « Je me moque de ce que vous ferez de l'épée, mais manquer de respect au mort qui se trouve là ? Pouah ! Très peu pour moi. »

À l'étonnement de Jack, Fitzwilliam abonde en son sens. « Jack a raison. Il nous faut trouver ce parchemin. »

Tous les yeux se tournent vers lui. Jack est le premier à dire quelque chose. « Bien que je sois étonné et ravi de t'entendre prononcer des paroles sensées pour une fois, Fitzy, qu'est-ce qui te motive à te ranger à mon avis ? »

« Réfléchissons bien à la situation », dit Fitzwilliam en s'adressant à tous ses compagnons, sauf à Jack. « Si Louis-aux-pieds-gauches savait que le parchemin se trouvait ici, il est fort probable que d'autres sont au courant. Quiconque trouvera ce parchemin se lancera tôt ou tard à la poursuite de l'épée et de ceux qui la détiennent. Autrement dit, on sera à nos trousses. Mais si on vient de nouveau troubler le sommeil de ce malheureux, que l'on remue la terre autour de sa tombe sans trouver de parchemin, alors, on croira que cette histoire est fausse. Personne ne partira à la recherche de l'épée, nous n'aurons personne à nos trousses et nous serons en sûreté. Il nous faut trouver ce parchemin et le cacher dans un endroit sûr. »

Arabella ne semble pas convaincue. Elle se tord les mains, nerveuse et inquiète. « Nous pourrions jeter l'épée à l'eau depuis le pont du Barnacle. Faisons-le. Lançons-la au fond de l'océan où elle devrait se trouver. »

« C'est cela, "où elle devrait se trouver". Avec Davy Jones, les Sirènes hurleuses, les créatures marines et qui encore? dit Jack. Nous savons à présent que la mer n'est pas plus sûre que la terre. »

Ses compagnons acquiescent en silence.

Jack pense que le moment est venu de leur faire part de son point de vue. « Et puis, Bella, après toutes ces péripéties, n'es-tu pas plus curieuse? » Elle lève un sourcil et l'observe attentivement. « Toutes ces histoires de marins que tu as écoutées. Toutes les légendes que tu as entendues à *La Mariée fidèle* alors que les pirates avalaient d'un trait leurs chopes de bière. N'es-tu pas curieuse de savoir si elles sont vraies ? N'as-tu pas envie de connaître la vérité ? Et songez tous un instant à la liberté que nous apporterait une telle puissance. »

Arabella hésite avant de renvoyer à Jack un sourire de connivence. « Dans ce cas, c'est aujourd'hui que nous devenons pilleurs de tombes », répond-elle. Après un moment, Jean et Tumen hochent la tête en guise de consentement.

Il faut que Fitzwilliam prête main-forte à Jack pour dégager ce qui reste du couvercle du cercueil. Les charnières de fer sont rouillées, bien que le bois soit encore pour une bonne part lourd et résistant. Pour finir, Fitzwilliam donne un coup d'épaule et le couvercle s'ouvre d'un coup. Le squelette de

François est vêtu d'une tenue d'apparat. Son crâne gris et poussiéreux semble sourire à ses fossoyeurs. Tumen frémit, et Fitzwilliam grimace de dégoût à cause de l'odeur de moisissure. Même Jack est rebuté par ce qu'il voit.

C'est là, dans la poche de l'élégant gilet, que Jack trouve le parchemin qu'ils cherchent.

CHAPITRE HUIT

« Voyons ce qui se trouve ici », murmure Jack en se penchant sur les restes de François. Usant de précautions, il extrait le parchemin du gilet du squelette, la feuille virevolte au vent. Arabella referme aussitôt le cercueil.

« Le parchemin, murmure Jean. Confère-il un pouvoir surnaturel à l'épée ? »

« C'est ce qu'on raconte. » Jack affiche un large sourire.

« À présent, tu détiens le parchemin. Te sens-tu investi d'un pouvoir surnaturel ? » demande Tumen.

Jack réfléchit un instant avant de répondre. « Je ne crois pas. » Il pose la main sur l'épée. « Pas de picotements, pas de bourdonnement, rien de particulier. » Il regarde le ciel ensoleillé et fait tournoyer ses mains en de grands gestes comme s'il voulait assembler les nuages, mais la pluie ne tombe pas. « Non. Assurément rien qui soit surnaturel. »

« Peut-être que la seule possession du parchemin ne suffit pas, fait valoir Fitzwilliam. Peut-être s'y trouve-t-il une formule magique ou une espèce d'incantation ? »

« Bien sûr qu'une incantation y figure ! J'attendais de voir combien de temps il vous faut pour vous en rendre compte », dit Jack.

Jack lisse le parchemin en le posant sur le cercueil de François. De toute évidence, il y a quelque chose d'écrit, à l'encre, mais il y a longtemps, car elle est pâle au point qu'il n'en reste plus que des traces couleur sépia. « Je ne parviens pas à déchiffrer ce charabia », marmotte Jack en jetant un coup d'œil au parchemin.

Arabella paraît distraite. « Nous ferions mieux d'inhumer François. De l'inhumer à nouveau, plutôt. »

« Attendez », dit Jack en levant le bras comme s'il voulait empêcher Arabella d'agir. « Il nous sera beaucoup plus facile de le faire descendre et de l'ensevelir dès que nous disposerons du pouvoir surnaturel », ajoute-t-il en affichant un sourire.

Fitzwilliam s'appuie sur Jack afin d'étudier le parchemin. « Je ne crois pas qu'il soit rédigé dans notre langue. »

« Je peux comprendre l'espagnol, dit Jack, mais ce n'est pas de l'espagnol. Ce serait trop beau, non ? »

« Ce n'est ni du français, ni du créole », dit Jean à son tour. « Tumen, est-ce que c'est la langue de ta tribu ? »

Tumen secoue la tête et répond : « Je n'ai jamais rien vu de tel. » Arabella hausse les épaules pour marquer son ignorance.

Jack observe attentivement le visage de Fitzwilliam. « Tu nous caches quelque chose, Fitz. De quoi s'agit-il ? »

« Ah ! Oui. Donc. » Fitzwilliam jette d'abord un œil d'un côté, puis de l'autre, comme s'il attendait quelqu'un qui ne venait pas. Ses joues rosissent. « Je pense que ce texte est rédigé en latin. »

« En latin ! Fitz, c'est génial ! » lance Arabella, la mine réjouie. « Tes précepteurs t'ont enseigné le latin. Je me souviens de te l'avoir entendu dire lorsque tu nous a énuméré les langues que tu parles*. »

Le visage de Jack s'illumine. « Bénis soient les aristos qui connaissent toutes ces satanées langues mortes ! » dit-il.

Tirant sur son col, Fitzwilliam répond : « Je crains qu'il me faille admettre que je n'étais pas toujours le plus studieux des élèves de mon précepteur de latin. »

Constance dresse la tête comme pour manifester de l'étonnement. Jean caresse son pelage tout en demandant : « Qu'est-ce que cela signifie ? »

« Cela signifie que Fitzy, ici présent, ne parle pas un traître mot de latin. » Jack a

* Effectivement, Fitz leur a dit qu'il parlait le latin. Reportez-vous au tome I : *Tempête à l'horizon* pour en avoir la preuve !

peine à le croire. « La seule chose utile que tu aurais pu tirer de ta parfaite éducation, et tu ne l'as pas apprise. Quel génie, tu fais ! »

Fitzwilliam se redresse afin de réaffirmer sa dignité. « Il faut dire qu'à cette époque je pouvais difficilement savoir qu'il me fallait apprendre le latin afin de pouvoir, un jour, décrypter un parchemin qui accorderait, au porteur, le pouvoir surnaturel de l'épée de Cortés. »

« Qu'est-ce que tu es dénué d'imagination ! » dit Jack avec dédain.

« Dans ce cas, dit Arabella intriguée en regardant Fitz, pourquoi nous avoir raconté que tu parles latin alors que c'est faux ? »

C'est Jack qui répond à cette question. « Il y a des types qui ne peuvent s'empêcher de se vanter devant une jeune fille. En général, ce sont ceux qui ont le moins de motifs de se vanter. » Le visage de Fitz s'empourpre sous l'effet de la colère, et Jack se demande s'il verrait à nouveau Fitzwilliam se mettre en colère. Les accès de rage de l'aristocrate sont toujours amusants à observer.

Arabella s'interpose entre eux dans l'intention manifeste de calmer le jeu. « Fitz, qu'est-ce que tu connais du latin ? »

« Quelques mots. La prononciation. Rien de plus. »

Au grand étonnement de Jack, Arabella hoche la tête d'un air satisfait. « Dans ce cas, c'est tout ce dont nous avons besoin. Pourvu que tu lises correctement à haute voix, la formule incantatoire devrait faire son œuvre. Tu n'es pas tenu de comprendre ce que tu dis. »

« Minute ! l'interrompt Tumen. Nous risquons d'invoquer une force surnaturelle sans comprendre précisément ce que nous faisons. Ne crois-tu pas que ce serait imprudent ? »

« Nous n'avons pas su ce que nous faisions jusqu'ici, rappelle Jack. Pourquoi cela doit-il nous arrêter à présent ? »

« L'argument de Tumen est sensé », dit Fitzwilliam.

Jack s'empare du parchemin posé sur le couvercle du cercueil. « Vous n'êtes qu'une bande de chats trouillards – et je te prie, Constance, de bien vouloir te sentir offensée –, pourquoi m'avoir aidé à trouver le parchemin ? Nous sommes arrivés jusqu'ici. Finissons la besogne. Servons-nous de l'épée de Cortés. »

Arabella dodeline lentement de la tête. Tumen laisse échapper un soupir, mais ne dit rien. Jean acquiesce hardiment. Fitzwilliam est le dernier à signifier son accord, mais il finit par se racler la gorge et dire : « Je suis prêt. »

« J'ai l'épée et elle est dans son fourreau », dit Jack en regardant à son côté pour s'assurer qu'aucune magie n'a opéré et vérifier que les deux effets se trouvent là où ils le doivent. « Je devrais tenir le parchemin aussi. Fitz, tu en fais lecture et je répète après toi. Compris ? »

« Oui, capitaine », répond Fitzwilliam en ébauchant un salut théâtral et en se penchant au-dessus de l'épaule de Jack.

Une brise marine décoiffe soudain tous les membres de l'équipage. La ville déserte de Puerto San Judas n'a jamais semblé aussi silencieuse qu'en cet instant. Même les oiseaux semblent avoir cessé de pépier. Tous se regroupent autour de Jack et de Fitzwilliam alors que ce dernier se met à lire à haute voix :

« Poena Letum Pugna. »

Jack répète ces paroles d'une voix forte et fière. « Poena Letum Pugna ! »

« A-t-il prononcé "peinard" ? » murmure Jean à Tumen. Jack fait semblant de n'avoir rien entendu.

Fitzwilliam ajoute : « Envinco... »

« Envinco. »

« ... Inhumanus. »

« Inhumanus ! » achève Jack d'une voix forte afin de s'assurer que le pouvoir surnaturel l'investirait, lui, plutôt que Fitz.

Il s'ensuit un silence absolu. Rien ni personne ne bouge. Jack attend les bourdonnements, les picotements ou les rougeoiements censés aller de pair avec un pouvoir surnaturel. Rien ne se produit.

« Y a-t-il autre chose ? » demande Jack en retournant le parchemin pour vérifier que rien n'est inscrit au verso. Mais le verso est vierge.

Arabella se gratte la tête. « Le changement n'est peut-être pas marqué. Essaie de faire quelque chose de magique. »

Jack fait la première chose qui lui traverse l'esprit. Il désigne, du doigt, Constance et dit : « Redonne son apparence humaine à la sœur de Jean ! »

Constance miaule à une reprise, avant de se mettre à sa toilette. Jean, déçu, baisse les bras. « Pour quelle raison ça n'a pas fonctionné ? »

« Peut-être qu'elle n'a jamais eu apparence humaine, l'ami », dit Jack en tapotant la tête de Jean.

« As-tu une idée de ce que cela veut dire dans notre langue ? » demande Jack à Fitzwilliam.

Fitz secoue la tête.

« Aucune idée ? »

Fitz hausse les épaules.

« Pas la moindre ? Un mot ou deux ? »

« Non ! » crie Fitzwilliam.

« C'est bon. Pas la peine de t'énerver. »

Jack passe la main sous son menton et examine l'épée de près. De toute évidence, il faut faire un autre essai, mais lequel ?

« Ah ! ha ! » dit-il en levant l'épée haut en l'air et en lui ordonnant : « Ramène chez eux tous les habitants de Puerto San Judas ! »

De nouveau, le silence. Personne ne pénètre dans l'église. Nul ne déambule dans les rues.

Fitzwilliam se risque à dire : « Il est possible que personne n'ait assisté à la messe au moment du prodige. »

Tumen secoue la tête. « L'encens brûle encore. Ils se trouvaient ici, mais ils ne sont pas revenus. »

« Ça n'a rien donné », dit Arabella, déçue.

« Rien donné ? » Jack regarde fixement l'épée à son côté. « Qu'est-ce que cela signifie, “rien donné” ? On ne trouve pas une épée enchantée, un fourreau magique et une formule incantatoire pour que cela ne donne rien ! Par ailleurs..., commence Jack, cela a fonctionné auparavant. Pourquoi donc, alors qu'elle se trouve dans son fourreau, là où elle est censée se trouver, cela ne fonctionne-t-il pas ? C'est ta faute, Fitz », dit Jack d'un ton dédaigneux. « Ta prononciation était mauvaise. J'en suis sûr. Convaincu, à vrai dire. »

« Je n'en crois pas mes yeux, dit Arabella. Cela n'a aucun sens. »

« Satanés racontars de pirates ! » Jack aurait pu lancer l'épée et n'y plus penser. Il lève les mains en l'air, avec une moue de dégoût et dit : « Je retourne en ville voir si quelqu'un a préparé le dîner. Vous venez ? »

Il tourne ses talons et c'est alors qu'il aperçoit un fantôme. Il porte l'armure d'un conquistador, faite de fer et d'argent, qui reluit sous l'effet de la chaleur. De la vapeur et une désagréable odeur de soufre s'échappent des oreilles poilues du fantôme, de sa bouche et de ses narines.

Le fantôme fait un pas vers eux dans un cliquetis métallique. Ses yeux sont rouges et sa barbe dessine des volutes rappelant la fumée. Alors que les membres de l'équipage du Barnacle, terrifié, se blottissent les uns contre les autres, le fantôme lève une main et gémit d'une voix râpeuse.

Arabella saisit le bras de Fitzwilliam. « Jack, ne comprends-tu pas ce qui s'est produit ? Les racontars des pirates omettent un léger détail. La formule incantatoire a rappelé à la vie le propriétaire de l'épée ! Voici l'esprit de Hernán Cortés, revenu d'outre-tombe ! »

Cortés fait un autre pas dans leur direction, ses yeux rouges et luisants fixés sur l'épée. Personne ne parle. Ils sont tous trop effrayés pour parler. En fait, ils ont tous une peur bleue.

Presque tous, devons-nous dire.

Jack avance d'un pas leste et tend la main au conquistador. « Compagnon, je te salue, dit-il. Je suis le capitaine Jack Sparrow. Ravi de faire ta connaissance ! »

À suivre...

transcontinental
IMPRESSION
IMPRIMERIE GAGNÉ